études littéraires françaises · 68

études littéraires françaises

collection dirigée
par
Wolfgang Leiner

avec la collaboration
de Jacqueline Leiner et d'Alain Niderst

‚La Divine Sceptique'

Ethique et Rhétorique au 17e siècle

Autour de La Mothe Le Vayer

---

par

Philippe-Joseph Salazar

Gunter Narr Verlag Tübingen

Die Deutsche Bibliothek – CIP-Einheitsaufnahme

Salazar, Philippe-Joseph:
»La divine sceptique« : éthique et rhétorique au 17e siècle ; autour de La Mothe Le Vayer / par Philippe-Joseph Salazar. – Tübingen : Narr, 2000
(Études littéraires françaises ; 68)
ISBN 3-8233-5581-3

Dischingerweg 5 · D-72070 Tübingen

Gedruckt auf säurefreiem und alterungsbeständigem Werkdruckpapier.

Druck: Müller + Bass, Tübingen
Verarbeitung: Geiger, Ammerbuch-Poltringen
Printed in Germany

ISSN 0344-5895
ISBN 3-8233-5581-3

Remerciements

Je tiens à remercier l'Université de Cape Town et la National Research Foundation (Afrique du Sud) de leur généreux soutien financier dans l'élaboration de ce projet. J'exprime ma gratitude à Barbara Cassin (CNRS, Paris) pour nos fréquentes conversations et mes remerciements à Emmanuel Bury (IUF, Paris), Eva Kushner (Centre Northrop Frye, Toronto), Adriano Pennacini (Université de Turin), Marcelle Maistre Welch (Florida International University), Ralph Heyndels (Université de Miami) et Eric Van Der Schueren (Montréal) pour m'avoir aimablement offert le loisir de poursuivre ou de présenter ce travail à diverses occasions. Je remercie également le conservateur de la bibliothèque du Centre for Renaissance and Reformation Studies (Toronto). Ces recherches auront été facilitées par le Centre for Rhetoric Studies, à l'Université de Cape Town, et le Collège international de Philosophie (Paris).

Table des Matières

Introduction

Le scepticisme classique reste une sorte d'énigme. Il a droit à une mention fugitive dans les manuels[1]. Il reste là, comme gravé en creux, coincé entre les hauts reliefs du monumentalisme littéraire, Montaigne d'un côté, Bayle de l'autre, et obscurci dans les ombres jetées par les deux statues en pied de Descartes et Pascal. Objet incertain, le scepticisme hésite entre la philosophie, l'écriture moraliste, la métaphysique. Partout et nulle part.

Et pourtant, ce n'est pas par défaut d'études qui, depuis un demi siècle, modulent un thème et des variations clairement énoncés par Sainte-Beuve à l'occasion – évidemment – d'une *Causerie* sur Pascal:

> Il y avait des incrédules du temps de Pascal; le seizième siècle en avait engendré un assez grand nombre, surtout parmi les classes lettrées; c'étaient des païens, plus ou moins sceptiques, dont Montaigne est pour nous le type le plus gracieux, et dont nous voyons se continuer la race dans Charron, La Mothe-le-Vayer (*sic*) et Gabriel-Naudé (*sic*). Mais ces hommes de doute et d'érudition, ou bien les libertins simplement gens d'esprit et du monde, comme Théophile ou Des Barreaux, prenaient les choses peu à cœur; soit qu'ils persévérassent dans leur incrédulité ou qu'ils se convertissent à l'heure de la mort, on ne sent en aucun d'eux cette inquiétude profonde qui atteste une nature morale d'un ordre élevé et une nature intellectuelle marquée du sceau de l'Archange; ce ne sont pas, en un mot, des natures royales, pour parler comme Platon. Pascal, lui (*etc*)[2].

---

1 Par exemple, le *Précis de littérature française du XVIIe siècle*, sous la direction de Jean Mesnard, Paris, Presses Universitaires de France, 1990.

2 C.-A. De Sainte-Beuve, "Pensées de Pascal" [lundi 29 mars 1859], V, 526 in *Causeries du Lundi*, Paris, Garnier, s.d., 16 vol. Et, dernièrement, l'ouvrage de José R. Maia Neto, *The Christianization of Pyrrhonism. Scepticism and Faith in Pascal, Kierkegaard, and Shestov*, Kluwer (coll. "Archives internationales

On me pardonnera cet *etc.* On devinera, faute d'avoir en mémoire le texte lyrique de Sainte-Beuve, ce qu'il y dit de Pascal.

Mais tout est dans ces quelques phrases dont il est possible de tirer les grandes lignes des recherches sur le scepticisme, usant du compas et de l'équerre fournis par le Sénateur des Lettres. Sainte-Beuve est si souvent plagié par les pilleurs d'épave de la critique, même la plus récente, qu'on oublie parfois la perspicacité, l'adresse et l'influence du maître en littérature française de l'Ecole normale supérieure. Ces quelques phrases sur les libertins et les sceptiques livrent en effet un magasin de lieux communs où l'histoire des idées littéraires ira chercher, pendant longtemps, ses inventions. Nul n'y échappe.

Quels sont ces lieux communs, dans le cas présent? Le vocabulaire: "Libertins, incrédules, païens, sceptiques". Ces termes, on les retrouve, pratiquement interchangeables, à propos du libertinage évidemment, mais aussi de Poussin (un païen?) ou de Théophile[3]. Ces termes alimentent des distinctions, entre vrais et faux sceptiques. Et Sainte-Beuve donne le dosage de ces subtilités, lorsqu'il *platonise* Pascal pour mieux – et déjà s'amorce ma critique – *sophistiser* La Mothe Le Vayer, répétant au demeurant la distinction platonicienne entre le bon rhéteur (le philosophe, le souverain des mots) et le mauvais rhéteur (le sophiste, le magicien de la parole).

Mais il abat aussi une des armes critiques les plus polémiques, et donc les moins critiques qui soient, celle de la conversion: à l'heure de sa mort, on jugera du sceptique. A proprement parler, l'*in articulo mortis* pourrait être le moment de la mort sceptique elle-même. Sainte-Beuve imagine un envol archangélique, au saut du dernier lit. Son vocabulaire dissimule, à peine, les hésitations et les partis pris intellectuels. A ses yeux, les hommes du doute s'alimentent à leurs livres, comme si la passion du savoir est source de capitulation morale et la *libido sciendi* motif d'un désenchantement que seule une véritable inquiétude – celle d'un Pascal, évidemment – transformerait en un véritable savoir. Trop savoir c'est

---

d'histoire des idées", 144), 1996. Je remercie le P. Jean-Robert Armogathe de m'avoir indiqué cet ouvrage.

[3] Voir la livraison de *Dix-Septième siècle*, 149, oct.-déc. 1985 et, à sa suite, Iole Morgante, *Il libertinismo dissimulato*, Fasano/Paris, Scherna/Didier (coll. "Biblioteca di ricerca, cultura straniera", 76), 1996, pp. 19-34 en particulier.

trop mal vivre, les sceptiques sont presque mallarméens, hantés du vide de trop savoir et d'avoir trop lu.

Et, pour avoir le souci des formes, la critique peut s'amuser à exciser de la "race" sceptique des marqueurs génétiques: ceux qui ont la grâce et l'esprit, et ceux à qui ces qualités, lesquelles font oublier que le scepticisme est vain, font défaut. Le style serait alors la *saving grace* du scepticisme. Le trait d'esprit, l'art du paradoxe, le brillant d'une controverse, le *wit* – pour le plaisir de parler – caractériseraient alors le style sceptique, et toute une morale se résumerait à un style. Sainte-Beuve, qui avait eu l'occasion de réfléchir sur le scepticisme lors de la causerie consacrée à la parution d'une étude sur Pierre-Daniel Huet[4], n'est pas le seul à s'y attacher sous la Monarchie de Juillet et le Second Empire. Ces deux avatars politiques, plus doux, plus paisibles et plus industrieux que leurs modèles trop héroïques – l'Ancien Régime, la République, l'Empire – furent aussi le moment d'une nouvelle incrédulité – que croire? la politique ... – dont les cours de philosophie de l'époque se font largement l'écho et qui réservent habituellement un chapitre au scepticisme moderne, entendons la perte des idéaux (politiques et religieux) qui, avec bonheur dirais-je, accompagnent la modernisation de la France, loin de la tyrannie des passions politiques.

Le mot de scepticisme avait cours. Qui plus est, Sainte-Beuve n'était pas le seul des critiques à en faire un usage dans l'analyse littéraire. Son collègue plus heureux du Collège de France, Constant Martha, dans cette même chaire de poésie latine (bref de littérature latine) pour l'inauguration de laquelle Sainte-Beuve retira sa leçon sur l'*Etude sur Virgile* (1857), conclut son élégant ouvrage consacré aux *Moralistes sous l'Empire romain* (1865) par cinquante pages lumineuses sur le scepticisme[5]. Le grand latiniste ouvrait-il la porte à Nietszche? Le fait est que Martha file de nom-

---

[4] Sainte-Beuve, "Huet, évêque d'Avranches" [lundi 3 juin 1858], II, 163-186, in *op. cit.* Il commente l'ouvrage de Christian Bartholomess, *Huet, évêque d'Avranches, et le scepticisme philosophique* (Paris, Franck, 1850). Rappelons que le *Commentarius* (1718) de Huet est traduit en français par Ch. Nisard en 1853 (voir ma reprise du texte : Pierre-Daniel Huet, *Mémoires*, introduction et notes par Ph.-J. Salazar, Toulouse/Paris, SLC/Klincksieck, 1993).

[5] Constant Martha, *Les moralistes sous l'Empire romain. Philosophes et poètes*, Paris, Hachette, 1865, 413-477.

breuses comparaisons entre le scepticisme du IIe siècle impérial et celui du XVIIe siècle royal – soulignant à maintes reprises combien Lucien de Samosate est présent chez les moralistes classiques[6]. Il n'est pas jusqu'au parallèle entre Lucien et Saint-Simon qui ne soit piquant et ne jette un jour, inattendu, sur le scepticisme du duc. Affaire à revisiter: sceptiques, les *Mémoires*? ou plutôt, comme l'écrit Martha, "expression de la désillusion"[7]? Il faudra bien y revenir lorsque l'on célébrera, en 2029, la première édition des *Mémoires*.

Entretemps, une figure de lettré se détache sur la tapisserie des Gobelins représentant les Libertins du XVIIe siècle, manière de bacchanale poussinesque de la désillusion, celle de La Mothe Le Vayer – aussi savant et touche à tout que son homologue moderne, Gide (l'*Hexaméron rustique*, des *Nourritures terrestres* du XVIIe?), aussi retors que Jouhandeau (*Eloge de la volupté*, une *Prose chagrine* du XXe?), aussi passionné de soi-même que Valéry (Tubero a du Monsieur Teste). J'ose ces comparaisons à l'emporte pièce pour tenter de faire surgir une figure d'écrivain dont on ne voit, dans le portrait de Nanteuil, que les rabats et la calotte mais dont on oublie l'éclat de rire, et pour indiquer la permanence d'un style sceptique dans la vie "littéraire", bref intellectuelle, du Grand Siècle.

Evidemment, La Mothe Le Vayer n'est plus à découvrir ni à redécouvrir. Avant même les travaux de René Pintard[8], le précepteur de Monsieur avait eu droit à une biographie savante[9], irremplaçable par défaut, et il a pris sa place dans toutes les histoires du scepticisme. Alan Boase avait au demeurant donné, à la suite de Sainte-Beuve, le cadre où La Mothe Le Vayer allait s'insérer et, au fil des travaux, perdre de son acuité[10]. De tirage en tirage la plaque

---

6 Sur Lucien au XVIIe voir la thèse récente d'Emmanuel Bury (Paris-IV).

7 Martha, *op. cit.*, 463.

8 René Pintard, *Le libertinage érudit dans la première moitié du XVIIe siècle*, Paris, Boivin, 1943, 2 vol. (récente éd. Rev. Et augm., Genève, Slatkine Reprints, 1995) et *La Mothe Le Vayer, Gassendi, Guy Patin*, Paris, Boivin, 1943.

9 Florence L. Wickelgren, *La Mothe Le Vayer. Sa vie et son œuvre*, Paris, P. André, 1934. Et, plus ancienne, la biographie due à René (de) Kerviller, *François de La Mothe Le Vayer*, Paris, E. Rouveyre, 1879.

10 Alan M. Boase, *The Fortunes of Montaigne. A History of the Essays in France, 1580-1669*, réimpression de l'édition de 1935, New York, Octagon, 1970.

s'est effacée. On constate récemment un regain d'intérêt[11] mais l'image que nous en avons est encore trop floue pour qu'on y puisse voir les reliefs et les détails de l'original dont Bayle, dans le *Dictionnaire*, avait fourni le tout premier dessin[12]. La Mothe Le Vayer n'est qu'une estampe dans cette étrange maladie universitaire, l'étude des *influences*. Le précepteur royal existe comme un prétexte, un amer, un relais – et son œuvre foisonnante, desservie par l'édition[13], effraie, rebute, impatiente. On se contente alors de biaiser avec l'écrivain, et d'étudier ses "idées" – au lieu d'analyser ses écrits. Par où commencer? Et comment? Que lire? L'œuvre est trop diverse pour entrer dans la classification par genres – toujours là –, et trop peu péremptoire pour se prêter immédiatement à un travail d'interprétation. Sa carrière elle-même est difficile à cerner et sa chronologie est floue.

Et pourtant, à suivre simplement les indications de lecture que livre le maître de la Divine Sceptique, il est vite apparent que La Mothe Le Vayer est un formidable rhéteur. Son œuvre est "éloquente" comme on disait au XVIIe siècle. La Mothe Le Vayer parle, discute, converse, apostrophe, s'amuse et raille. Œuvre orale, œuvre de civilité savante et mondaine. Œuvre de stratège des Lettres. Œuvre de styliste. Œuvre au cœur d'un dispositif d'autonomie de l'intellectuel. C'est ce fil que nous proposons de suivre, celui qui vibre, comme la corde d'un arc, dans une carrière mise au service de l'indépendance intellectuelle.

Sur La Mothe Le Vayer, chapitre 18, 260-270. Signalons, de Frédéric Brahami, *Le scepticisme de Montaigne* (Paris, Presses Universitaires de France, coll. "Philosophies", 83, 1997).

[11] Jean-Pierre Cavaillé, dans un ouvrage à paraître issu de son séminaire au Collège International de Philosophie, lui consacre un chapitre ("La main libertine"), deux colloques en 2000 (sous la férule de Gianni Paganini à Vercelli et, à Paris, du Centre d'Etudes Cartésiennes).

[12] Pierre Bayle, article "Vayer", IV, 2780-6 in *Dictionnaire historique et critique*, 3e éd., Rotterdam, M. Bohm, 1720. L'article "Pyrrhon", important: III, 2308.

[13] Ci-après, sauf mention expresse, je ferai référence à l'édition (incomplète, incommode et labyrinthique) des oeuvres de La Mothe Le Vayer, à savoir : François de La Mothe Le Vayer, *Œuvres*, réimpression de l'éd. M. Groell (Dresde, 1756-1759), Genève, Slatkine, 1970, 2 vol. Egalement, l'édition, due à André Pessel, des *Dialogues faits à l'imitation des Anciens 1630-39*, Paris, Fayard (coll. "Corpus des oeuvres philosophiques en langue française"), 1988 Je fais ainsi référence à l'édition Slatkine: volume et pagination du reprint/volume et pagination de Dresde.

CHAPITRE UN

Rhétorique, sens commun et autonomie morale

La Mothe Le Vayer, dans un spirituel essai de 1646 intitulé *Sur cette commune façon de parler, "N'avoir pas le sens commun"*[1], plaide en faveur de la mâchoire de l'âne en quoi il voit l'"hiéroglyphique de l'ignorance Sceptique", arme qui abat les Philistins, arme du philosophe Samson auquel le futur précepteur royal, en une piquante lecture figurale (et morale) de l'Ecriture, attribue un pouvoir de désabusement et de critique à l'endroit du sens commun.

Mais quel est le sens de cette histoire d'âne?

L'âne est un *topos* de l'humanisme anti-dogmatique, une figure codée des genres rattachés à la "docte ignorance"[2], et sa mâchoire où Samson-Philosophe boit

> les contentemens extrêmes que reçoit un esprit bien fait de la connoissance de sa faiblesse, n'entreprenant rien au delà de ses forces, & n'étant pas trompé, comme les autres dans ses opérations, dont il ne se promet rien qui passe le vraisemblable[3],

cette mâchoire serait le calice des délices qu'une certaine raison, la sceptique, tire à s'exercer contre une certaine déraison. En fait, le traité de La Mothe Le Vayer offre un balisage des significations

---

[1] La Mothe Le Vayer, *Œuvres*, II, 253-272=V/2, 139-208.

[2] Sur l'âne et son lieu commun voir mon essai, "La satire, critique de l'éloquence", *Littératures classiques*, 24, *La satire au XVIIe siècle*, 1995, 175-182. Il faut aller relire le Dialogue IV des *Dialogues faits à l'imitation des Anciens* (éd. A. Pessel), *Des qualités des Anes de ce temps*, et la Lettre LXXIV, II, 205-210-524-530, *Des Anes*.

[3] La Mothe Le Vayer, *op. cit.*, 270-200.

qu'adopte au milieu du siècle l'expression de sens commun, et, plus justement, des rapports qui sont établis entre le sens et le non-sens, entre le commun et le divers, entre les opinions reçues et les opinions irrecevables, entre raison et déraison.

Une citation de la fameuse *Lettre sur l'Imposteur*, publiée au cœur des polémiques autour du *Tartuffe* (1667), et due à la plume (si peu anonyme) de La Mothe Le Vayer[4], dévoile toute la vigueur polémique d'un débat qui, pour être de terminologie, affecte immédiatement la constitution du champ littéraire et définit des positions:

> Le Bigot, qui se sent pressé et piqué trop sensiblement par cet avis [celui que Cléante donne à Tartuffe de "<faire> honnête retraite", acte IV, sc. 1], luy dit: "Monsieur, il est trois heures et demie, certain devoir chrétien m'appelle en d'autres lieux", et le quitte de cette sorte [...] La manière dont il met fin à la conversation est un bel exemple de l'irraisonnabilité, pour ainsi dire, de ces bons Messieurs, de qui on ne tire jamais rien en raisonnant, qui n'expliquent point les motifs de leur conduite, de peur de faire tort à leur dignité par cette espece de soumission, et qui, par une exacte connoissance de la nature de leur interest, ne veulent jamais agir que par l'autorité seule que leur donne l'opinion qu'on a de leur vertu[5].

"Irraisonnabilité"? – "pour ainsi dire"! Le *Traité* entend ouvrir l'étrange tour de phrase et en expliquer les attendus et les enjeux.

Cette formule répond à un "dessein" qui n'est pas métaphysique mais social: il existe une manière de parler, qui porte injure et découpe, dans le champ des relations sociales, deux positions de parole, l'une de puissance (qui porte accusation: vous n'avez pas le sens commun), l'autre de mise en faiblesse. Cette accusation ressortit à prétendre que l'autre est démuni de cela même qui ne peut faire défaut aux animaux, le sens intérieur qui met en rapport les cinq sens – les met en commun – et permet de percevoir un objet[6]. Accuser l'autre de manquer de sens commun est donc une "hyper-

---

[4] Se reporter à l'excellente édition procurée par Robert Mc Bride de: La Mothe Le Vayer, *Lettre sur la comédie de l'Imposteur*.

[5] François de La Mothe Le Vayer, *Lettre sur la comédie de l'Imposteur*, 85.

[6] La Mothe Le Vayer suit Aristote, *De anima*, III. Se reporter aux travaux (à paraître) de Barbara Cassin pour une exégèse de cette difficile question du sens commun chez Aristote.

bole" dont "l'extravagance" souligne qu'il est ici question, dans la constitution des rapports sociaux, d'un usage polémique de la conversation civile. Pour parer ses coups il n'existe, selon La Mothe Le Vayer, que deux recours efficaces, deux actions (outre le rire, sur lequel nous reviendrons): ignorer l'injure, "mettre la main à l'épée".

Or, convoquant ici un lieu commun de la réflexion rhétorique, par quoi l'argumentation éloquente doit suppléer à la force brute, La Mothe Le Vayer signale que l'usage social de la parole demeure prisonnier d'un *ethos* de la force. Une telle injure ne peut vraiment être réparée que si l'on choisit de l'ignorer et, par conséquent, d'en récuser la violence, signe s'il en est de la défaillance du sens commun. Or le seul moyen, outre le rire, par quoi cette ignorance est fructueuse, et par quoi l'honneur obtient réparation (entendons: l'honneur de la parole), réside dans la mise en pièce de l'injure, son patient démontage, son anatomie. Le silence qui doit, chez le P. Antoine Balinghem, répliquer à l'injure, et permettre au véritable homme d'honneur de garder celui-ci par l'exercice de la douceur et de la magnanimité, s'exerce ici dans le champ de la parole même[7]. Mais ce silence emprunte la voie d'une méditation que La Mothe Le Vayer dit "solitaire": la retraite est la condition mise à l'observation du fonctionnement de la conversation civile, et de "la grandeur de l'injure". Il faut se retirer dans la contemplation des œuvres de la conversation civile pour pouvoir procéder, en sous-main, à une anatomie des rapports de force qui instruisent la parole sociale, autour d'une *illusio* sociale valorisante en ce milieu du XVIIe, "être sensé". Est commun le sens qui rend compte de la communauté civile et de ses valeurs instituantes. La pire des injures à l'Age Classique serait en effet d'être accusé de manquer de sens commun.

Cette fonction sociale du sens commun, sorte de mètre-étalon pour mesurer la place que chacun occupe dans la conversation civile, se présente sous les auspices rhétoriques de ce que La Mothe Le Vayer nomme un "proverbe", à savoir une façon de parler

---

[7] Sur ce rapport de la conversation civile et du duel, voir Christophe Strosetzki, "De la polémique contre le point d'honneur à l'art de la conversation", in Roger Duchêne et Pierre Ronzeaud (éds.), *Ordre et contestation au temps des Classiques*, Paris-Seattle-Tübingen (coll. "Biblio 17", 73), vol 2, 100-112.

"commune", un *topos* social. Le proverbe est issu d'une langue commune, il instaure et conforte l'existence de celle-ci, ce que P. Bourdieu appelle en effet une *illusio*. Mais le proverbe est une manière de preuve rhétorique, le résultat d'une induction à partir non pas d'exemples concrets (comme dans le cas le plus fréquent de l'argumentation rhétorique), mais de faits de parole. Ceux-ci, d'autres proverbes tels "prendre des vessies pour des lanternes", exemplifés par La Mothe Le Vayer, forment de culture en culture un réseau compact d'opinions, dont la puissance argumentative réside dans son universalité perçue, un caractère même du lieu commun rhétorique. En ce sens l'expression "ne pas avoir le sens commun" est le résultat d'une induction à partir de ces proverbes, validés par l'adhésion sociale. L'expression semble universellement admise et compréhensible.

S'affirme ainsi son statut rhétorique dès lors qu'elle participe de ce qui est l'essence du genre épidictique, l'adhésion à des valeurs sociales contemporaines de l'acte de parole (l'*épideixis* porte sur le présent, sur les choses en cours, sur les affaires du jour), par l'éloge ou le blâme. La Mothe Le Vayer montre comment l'expression qui porte accusation, qui dénigre et entend ramener l'autre au dessous même de l'animal, et fait ainsi fonctionner l'épidictique comme un assentiment ou une transaction sociale de la parole, est aussi une forme judiciaire de la rhétorique.

L'expression "ne pas avoir le sens commun" est en fait susceptible d'une double illusion sociale, d'un double jeu, simultané, sur la valeur du sens commun. User de cette expression revient à graduer des degrés de comportement selon deux des lieux les plus actifs de la topique, la quantité et la qualité. Le sens commun est le "bon sens", il est aussi le sens du plus grand nombre, du vulgaire. Passer jugement sur le défaut de sens commun, c'est-à-dire sur un comportement qui ne répond pas à l'opinion commune, révèle que l'exercice du contrôle social sans cesse se rapporte à une rhétorique des valeurs, laquelle assure le corps social d'une cohérence qualitative et quantitative. Ainsi, lorsque les *Fables* de La Fontaine mettent en scène et en paroles ce mécanisme de jugement collectif, garant de cohésion, n'est-ce pas parce que le fabuliste, en faisant endosser aux bêtes le discours de la valeur, veut signaler, emboîtant le pas à La Mothe Le Vayer, que la communauté humaine tombe alors plus bas qu'elle-même, et perd, en ce sens, la raison?

La "peste"[8] dont le "vulgaire" souffre, ce serait cet abus du sens commun. Rhétoriquement, le sens commun fonctionne à la fois comme la somme totale d'opinions répétitives (lieu de la quantité) ou un système de rapport (lieu de la qualité), pris en ensemble comme une norme de civilité. Manquer de sens commun signale que tel comportement, ou telle opinion que l'on énonce, n'entrent pas dans cette somme connue et acceptée comme règle sociale (par exemple, les lubies de M. Jourdain), ou qu'ils apportent un élément nouveau, tout aussi inacceptable (ainsi la galanterie de Tartuffe).

Ce processus de perception et de rejet met donc en jeu le pathétique dans la mesure où la stratégie argumentative du sens commun participe effectivement autant du genre épidictique que du genre judiciaire: le sens commun est un jugement sur les valeurs, il ostracise, il mène un réquisitoire. Et le *pathos* propre à un tel jugement social n'est autre que *le sens du ridicule.* L'opinion ou le comportement rejetés hors du bon sens et du sens le plus partagé, tombent dans le ridicule dont La Mothe Le Vayer donne, à propos de Panulphe-Tartuffe, cette définition: "Ce qui manque extrêmement de Raison"[9]. Mais, précisément, s'exposer au ridicule signe la prétention du sens commun à fonctionner ainsi comme une échelle générale des valeurs.

Au cours de son traité, La Mothe Le Vayer retourne alors la topique des lieux contre elle-même: le sens commun est un terrain de choix pour l'application des modes sceptiques, ceux qu'emprunte La Mothe Le Vayer à la tradition issue de Sextus Empiricus et de Pyrrhon. De fait, les dix "ambigüités" qui permettent la suspension du jugement opèrent exactement sur la transaction de parole que tente le sens commun. Diversité des comportements animaux et humains (modes I et II), illusions des sens (III) et variations des perceptions (IV, V, VI), problèmes de quantification et de causalité (VII, VIII), diversité des mœurs (IX, X), autant de raisons qui font éclater le système clos que veut établir le sens commun[10]. La Mothe Le Vayer entend que le sens commun est valide pour une com-

[8] La Fontaine, *Fables,* VII, 1.

[9] François de La Mothe Le Vayer, *op. cit.*, 99.

[10] Pour une présentation des modes: Julia Annas et Jonathan Barnes, *The Modes of Scepticism. Ancient Texts and Interpretations*, Cambridge, Cambridge University Press, 1985.

munauté, et elle seule: en comparant le Nouveau Monde à l'Ancien on établit par exemple une série de sens communs.

Ce jeu sceptique de relativisme, qui ressortit à démonter l'apparente unité du sens commun et à le résoudre en une diversité, ne vise pas donc pas à lui dénier existence, puisque, d'un pays l'autre, il s'agit là d'un fait de performance sociale, d'*illusio* des valeurs, ni efficacité (sous ce rapport il est le bon sens), mais à le placer résolument dans la déraison. Dans cette série de sens communs, la diversité révèle l'impossibilité d'une mesure unique, d'une *ratio* qui permette de rapporter opinions et comportements à un critère universel – par opposition à un critère universellement accepté, qui ressortit à une doxologie sociale.

Or ce rapport, qui aide à forger le lien social, fonctionne par analogie avec la raison la plus maîtresse de soi, le savoir scientifique, tel qu'il est entendu dans la *doxa* aristotélicienne, à laquelle La Mothe Le Vayer renvoie expressément puisqu'elle constitue, de fait, le stock de lieux communs qui permettent, à leur tour, la pensée du sens commun.

Le sens commun serait analogue, dans le social, aux "notions communes" des mathématiques, à savoir les vérités communes aux différentes sciences qui s'imposent par évidence, telle que *ab æqualibus æqualia si demas, relinquuntur æqualia*[11].

En d'autres termes, la contention du sens commun est de transposer dans le domaine des opinions (qui relèvent des *Topiques* et non de la connaissance scientifique démonstrative) le système de la science. Les tenants du sens commun mettent en place des axiomes doxologiques, lesquels opèrent comme des vérités scientifiques, mais ici transférables d'un domaine dans l'autre, et à partir desquels découlent des démonstrations – à savoir: les jugements sociaux coulés dans la conversation civile. De même que certains axiomes sont partagés par la géométrie et l'astronomie, ainsi le sens commun, y compris l'évidence qu'il existe un sens commun – l'axiome de base –, *mime* la production d'évidences de discours qui, partagées par la politique, l'éthique, l'économie, passent d'un domaine social à un autre, et argumentent par là l'existence de genres sociaux (analogues ainsi des *genera* scientifiques)[12]. Ces

[11] Aristote, *Analytica posteriora*, I, 10.
[12] Aristote, *Ibid.*, I, 7.

démonstrations analogiques forment la matière de la conversation civile, des rhétoriques sociales, des jugements de valeur constitués en discours, et elles s'imposent, dans leur mimétisme insu, comme des évidences. La rhétorique mime la science et invente le social comme genre de savoir.

Pour souligner cet extraordinaire système d'argumentation sociale, si proche de ce que, dans une certaine sociologie positiviste, V. Pareto nommera des dérivations[13], La Mothe Le Vayer prend trois exemples : le respect dû à ses parents, l'amour de la patrie, la conduite de sa vie selon des fins déterminées. Appliquant les modes sceptiques (en particulier le Xe), il expose facilement la diversité des opinions sur ces sujets, même si le sens commun veut et dit que l'on respecte ses parents, que l'on serve sa patrie et que l'on se fixe un but dans la vie, entendons que la *doxa* sociale, politique et éthique, impose ces opinions comme des évidences par l'éloquente réitération de formules, de sentences, de phrases qui, en un effet de persuasion, créent une véritable coercition par le discours. Le *genus* (le genre de savoir) du sens commun c'est le lien social: le sens commun affirme sa rhétorique comme la science du lien social.

Et, en affrontant cette rhétorique dont on a vu qu'elle participe tant de l'épidictique (dire la valeur) que du judiciaire (condamner l'écart) à la "sceptique", La Mothe Le Vayer jette une impitoyable lumière sur le fait que la rhétorique suppose en effet un sens commun, une *doxa* moyenne, une intériorisation d'évidences civiles. Rarement le libertinage érudit aura posé avec autant de mordant l'illusion sociale d'un consensus et d'une communion sur les valeurs.

C'est pourquoi le sens commun nourrit la déraison. Il est une arme qui permet d'ôter de la société civile les opinions qui ne sont pas communément assumées, comme si, de nature, il existait des vérités sociales communes. Par exemple, Tartuffe exhibe l'évidence (supposée) du sens commun dévot mais à un tel degré de condensation que le fallacieux ne saura apparaître qu'à celui qui domine la structure de croyance – le Roi lui-même[14]. Autrement dit il exis-

---

[13] Vilfredo Pareto, *Traité de sociologie générale*, (nouv. éd.), Genève, Droz, 1968.

[14] Comme le note R. Mc Bride, l'Officier de la version de 1667 tient un discours bien plus véhément que l'Exempt du Tarfuffe, sur la perspicacité du prince et

te une déraison du sens commun, ou le sens commun est la déraison. Mettre le Prince au dessus du système revient à dire que ceux qui participent du système sont incapables de combattre à armes égales la folie du sens commun, ou que le Prince est au fond l'image ironique du philosophe sceptique.

On peut alors entrevoir combien, plus tard, les *Caractères* de La Bruyère seront un tableau de cette rhétorique sociale[15], une critique du sens commun, de sa déraison, de son ridicule – puisque, comme nous l'avons noté, La Mothe Le Vayer propose que le sens du ridicule seul permet de se rendre compte du "déraisonnable"[16]. Le rire – cet effet éloquent du ridicule – serait le sens du non sens du sens commun. Le ridicule est le résultat fomenté ou instinctif d'une application des modes sceptiques, lesquels toujours montrent les écarts, les déviances, la "diversité" des attitudes et des opinions[17], il révèle l'inconvenance d'une attitude ou d'une opinion par rapport à un sujet social[18].

Egalement, lorsque La Rochefoucauld déclare: "Dans l'adversité de nos meilleurs amis, nous trouvons quelque chose qui ne nous déplaît pas", il souligne l'inconvenance et le ridicule de l'opinion commune selon laquelle il faut secourir ses amis dans l'adversité car le déplaisir qu'ils souffrent alors serait apparemment le nôtre, stratégie qui passe sous silence le fait que les circonstances qui provoquent le premier ne sont pas celles qui affectent le second[19]. La Rochefoucauld active dans cette maxime le VIIIe mode sceptique, celui de la causalité. Dans cette perspective, le démontage des illusions sociales est d'une telle virulence que La Mothe Le Vayer peut écrire ce passage, qui donne la marque de la "folie", la déraison du sens commun dans les affaires humaines:

> Que feroient, je vous prie, tant d'Officiers superflus de Judicature, sans la manie de ce nombre innombrable de gens qui les em-

---

l'usage que lui seul exerce de la lumière naturelle, c'est-à-dire de la raison, bref du sens commun (*Lettre*, 92 et note 229).

15 Voir notre "Je le déclare nettement, La Bruyère orateur", *L'infini*, 35, automne 1991, 105-116.

16 La Mothe Le Vayer, *Lettre*, 98.

17 La Mothe le Vayer consacre un beau traité à cette notion, la *XIVe Homélie académique*.

18 La Mothe Le Vayer, *Lettre*, 98.

19 La Rochefoucauld, *Maximes et réflexions diverses*, éd. de Jean Lafond, Paris, Gallimard/Folio (728), 1976, Maximes supprimées, 18, 134.

> ploient, & sans la leur propre, qui sait qu'ils préférent ce mercenaire exercice à leur inestimable liberté? A quoi s'occuperoit cette grande multitude de Financiers, qui savent la plûpart rien faire que dérober aujourd'hui dequoi faire pendre demain; [...] Et quelle contenance tiendroient tant de sots Courtisans, (les autres m'excuseront s'il vous plait), qu'une vaine esperance tient souvent attachés à la plus lâche de toutes les servitudes? Chassés la folie de la porte du Grand Seigneur, vous la rendés comme déserte[20].

Il faut en rire, comme Démocrite dit-il ou, comme La Bruyère qui met en épigraphe de son ouvrage une citation d'Erasme, retrouver l'*Eloge de la folie*. Les stratagèmes du sens commun doivent provoquer un mouvement de retrait, condition du rire, *retraite* hors du champ social, devant cette folie "qui fait subsister le Monde", entendons les pratiques sociales à titre de rhétorique de la valeur. La folie est celle de l'inconvenance des ses jugements par rapport à l'individu qui les a intériorisés et les laisse le guider. Seul le philosophe sceptique, philosophe-roi, pénètre cette déraison qui table sur l'oubli de la diversité, ou, pour citer Moria:

> C'est un antique adage "Je hais un convive qui a bonne mémoire"; en voici un nouveau: "Je hais un auditeur qui a bonne mémoire"[21].

Mais, dans le rire, le silence et la sceptique, qui sont des exercices de la mémoire sociale dans la juste mesure où ils refusent d'admettre l'évidence (déraisonnable) du commun et posent la question (raisonnable) de cette évidence et des formes de parole qui lui donnent un champ d'action, le refus de la déraison informant celui-ci contraint qui le pratique à se retirer du monde. La "peste", pour paraphraser l'apologue de La Fontaine, dont souffrent les animaux politiques que sont les hommes est bien celle du sens commun dont le baudet, symbole de la docte ignorance – entendons du refus de savoir selon la déraison dogmatique – subit "l'halene infectée". Seul remède et seule sûreté, prendre ses distances: la solitude, le retrait hors de la conversation sociale, le quant à soi[22].

---

20 La Mothe Le Vayer, *op. cit.*, 264=174.

21 Erasme, Eloge de la Folie, 227, in *Œuvres choisies*, trad. et prés. par Jacques Chomarat, Paris, Livre de poche classique (6927), 1991.

22 Relire les pages que consacre à la retraite Bernard Beugnot, *Le discours de la retraite au XVII siècle. Loin du monde et du bruit*, Paris, Presses Universitaires de France (coll. "Perspectives littéraires"), 1996.

Une question, dure, se pose que La Rochefoucauld, La Fontaine, La Bruyère, en frondeurs assagis par les Lettres de l'absolutisme et de l'étatisme des Lettres, feront leur, inscrivant leur travail intellectuel dans un mouvement de retraite, hors du discours public et projetant, depuis cette position de maîtrise, une pratique polémique de la parole: comment, si on ne se retire pas, répliquer au réel politique, aux leçons de ce réel, tout en sauvegardant son autonomie?

CHAPITRE DEUX

Les leçons de l'histoire

Qu'advient-il alors de ce travail sur l'autonomie lorsque la sphère politique est à l'ordre de l'activité sceptique? Aux alentours de 1640 une affaire intrigue Guez de Balzac: le futur roi aura-t-il un précepteur et qui sera-t-il? Il s'en ouvre à Chapelain qui nourrissait l'espoir d'être choisi:

> Le seigneur Tubero aspire, dit-on, à l'instruction vocale aussi bien que littérale de nostre jeune prince pour faire le Plutarque dans cette cour[1].

Dix ans auparavant Balzac s'était lui-même essayé à jouer le rôle de précepteur ou de conseiller du Prince en publiant un traité du même nom[2]. Il avait eu l'amertume de constater que les monarques adultes agissent à la manière d'Auguste dans *Cinna*: on leur rapporte les mêmes faits sous deux angles différents mais eux seuls décident du *sens* de l'Histoire[3]. Balzac ne fut pas le Pline de Louis XIII. Il espère que La Mothe Le Vayer ne sera pas le Plutarque de Louis XIV. Comment le champion de la Divine Sceptique peut-il briguer le plus dogmatique des offices, former un prince?

De fait, La Mothe Le Vayer venait, en 1640, de publier son *Instruction de Monseigneur le Dauphin*: il se mettait en première ligne. Il ne sera pas nommé avant 1652, après avoir veillé aux études du duc d'Anjou, futur duc d'Orléans (depuis 1649). Tu-

---

[1] Lettre de Balzac à Chapelain, 19 mai 1640, citée in Florence L. Wickelgren, *La Mothe Le Vayer*, 9.

[2] Philippe-Joseph Salazar, "Balzac lecteur de Pline le Jeune: la fiction du Prince", *Dix-Septième Siècle*, 168 (3), 1990, 293-302.

[3] Corneille, *Cinna*, II, 1.

bero, dont le libertinage avait contraint la reine de lui préférer Hardouin de Péréfixe[4], servira donc le jeune roi de la fin de la Fronde, lorsque la Cour se réinstalle au Louvre, à son mariage en 1660: il assistera au sacre de son élève et composera de 1651 à 1658 une suite d'ouvrages pédagogiques[5] qui forment par leur cohérence, leur élégance et leur système la vigoureuse annonce, digne du royal disciple, du *Traité des études* de Rollin, destiné, lui, au commun des collèges[6]. Une chose est frappante: on y trouve une *Géographie du Prince*, mais point d'*Histoire*.

La chose mérite qu'on y prête attention. La Mothe Le Vayer réfléchit en effet à l'historiographie, ancienne et moderne, tout au long de sa carrière: ainsi en 1638 il dédie à Richelieu un *Discours de l'histoire*[7], le *Jugement sur les anciens et principaux historiens grecs et latins en 1646*[8], suivis d'une importante *Préface*[9] – on lui attribue une *Science de l'Histoire* (1665) –[10], enfin le beau traité, en 1668, *Du peu de certitude qu'il y a dans l'Histoire*[11].

Il s'agit là d'une prudente méditation que je comparerais volontiers à celle d'un peintre comme Charles-Alphonse Du Fresnoy qui, de 1635 à 1656, lentement conçut, dans son *De arte graphica*, une magistrale vision de la peinture, et de la peinture dite d'histoire précisément[12]. De telles coïncidences signalent que le métier d'historien, qu'il fût par les mots ou par les images, ne se concevait

---

4 La Mothe Le Vayer publie son premier ouvrage assez tard, vers 1630, les fameux *Dialogues d'Oratius Tubero* (Wickelgren, *op. cit.*, 71-104).

5 Pour la liste voir Wickelgren, *op. cit.*, bibliographie et le jugement de Sergio Bertelli dans son ouvrage pénétrant *Ribelli, libertini e ortodossi nella storiografia barocca*, 293.

6 Charles Rollin, *De la manière d'enseigner* ... [*Traité des études*], Paris, Mame, 1810, 4 vol (1ère éd., 1726-31).

7 *Discours de l'histoire*, in *Œuvres*, I, 758-788=IV/1, 275-396 (ci-après *Discours*).

8 *Jugement sur les anciens et principaux historiens grecs et latins*, in *op. cit.*, II, 8-89=IV/2, 8-28 (ci-après *Jugement*).

9 *Jugement*, 83-9.

10 La Mothe Le Vayer, *La science de l'histoire*, Paris, L. Billaine, 1665. Voir Carlo Borghero, *La certezza e la storia: cartesianismo, pirronismo e conoscenza storica*, 76 n.100. Sur La Mothe Le Vayer, 57-83.

11 *Du peu de certitude qu'il y a dans l'histoire, in Œuvres*, II, 328-340=V/2, 435-480 (ci-après *Certitude*).

12 Voir ma préface ("L'institution de la peinture") mise en préface à ma traduction française du *De arte graphica* de Charles-Alphonse Du Fresnoy, Paris, L'Alphée, nouv. série, 1, 1989, 95-106.

pas sans une certaine réticence, laquelle apparaît au grand jour dans l'œuvre de La Mothe Le Vayer. De quelle réticence s'agit-il? Ou: comment la réticence va-t-elle agir?

Au premier abord le *Discours de l'histoire*, qui est un commentaire de l'ouvrage de Sandoval sur Charles-Quint (1604-6, 1618)[13], semble participer de la mobilisation intellectuelle suscitée par Richelieu dans sa lutte contre l'Espagnol: quelques années auparavant La Mothe Le Vayer, dans le *Mercure François*, avait fait paraître une analyse de la défaite de Gustave-Adolphe, à Lutzen, en novembre 1632 (*Discours sur la bataille de Lutzen*, 1633)[14]. Le ton, le style, l'objet du *Discours* sont autres. D'emblée, s'adressant à Richelieu, La Mothe Le Vayer met en place un dispositif de lecture:

> Encore qu'il semble, que tout le monde doive avoir de l'affection pour l'Histoire, puisqu'il ne se voit personne qui n'en trouve la lecture si agréable, qu'on peut dire qu'elle a des charmes pour toute sorte de professions: Si faut-il avouer que ceux qui sont particulièrement intéressés dans sa narration, et qui lui fournissent les principales actions qu'elle représente, sont beaucoup plus obligés que les autres d'en faire estime, et de la protéger même, si elle a besoin de leur autorité[15].

L'Histoire, dont parle La Mothe Le Vayer est ambigüe: l'"affection" des lecteurs qui ne jouent pas de rôle dans "le branle [de] toutes ces merveilleuses révolutions d'Etat"[16] est différente de l'"autorité" dont les acteurs de l'Histoire couvrent l'historiographe. Il existe entre les uns et les autres un gouffre, l'émerveillement: la narration historique se donne pour une presque fable aux simples lecteurs[17], une "merveille", tandis que chez les praticiens du pouvoir, le seul émerveillement possible est celui que doit susciter la science et la pénétration de l'historien. En critiquant, bref en exposant les erreurs qu'aurait commises son prédécesseur espagnol, La Mothe Le Vayer s'en remet au jugement critique d'un

---

13 Sur Prudencio di Sandoval, voir Borghero, *op. cit.*, 72 n.101.

14 Voir Wickelgren, *op. cit.*, 107-10.

15 *Discours*, 276-758.

16 *Ibid.*

17 Voir Philippe-Joseph Salazar, "Les pouvoirs de la fable: Mythologie, Littérature et Tradition (1650-1725)", *Revue d'histoire littéraire de la France*, 91 (6), 1991, 878-889.

expert, Richelieu. A quelle fin? Celle de prévenir que plus tard n'apparaisse un Sandoval français qui ne fasse un sort identique au règne de Louis XIII ou au gouvernement de son ministre: la "malice" va de pair avec l'"affection", deux versants d'une même réalité.

Le *Discours* s'ouvre ainsi sur une propédeutique de la lecture historique des événements laquelle ne consiste non pas tant à établir les faits qu'à s'assurer qu'aux yeux d'un connaisseur, d'un acteur politique, les faits soient crédibles et conformes à la logique du pouvoir: le secret. En effet le "mensonge" dont La Mothe Le Vayer taxe Sandoval ressortit à cacher les ressorts véritables de l'action politique[18]. Ainsi, dans le cas de l'abandon de Tunis (1535), La Mothe Le Vayer déplie, sous les yeux de Richelieu, le principe même de la narration historique: révéler le secret de cette affaire[19]. Si La Mothe Le Vayer retrouve Mascardi[20], exposer la vérité "effettuale" – comme dirait Machiavel – des faits historiques place l'historien dans un dilemme: rendre publiques les causes au risque de déplaire[21]. La Mothe Le Vayer se contente donc de critiquer Sandoval: jamais il ne donnera lui-même une Histoire du ministère de Richelieu ni du règne de Louis XIII. Ecrire l'histoire demeure, il le confesse, un "divertissement"[22]. Est-ce là tout?

Non. Il est un texte classique que La Mothe Le Vayer ne pouvait ignorer, le *Quomodo historia conscribenda sit* de Lucien de Samosate[23]. Edité à Florence en 1496, ce traité[24] ne paraît en français qu'au XVIIe siècle[25] mais il appartient si bien au programme des

---

[18] Voir Bertelli, *op. cit.*, chapitre 7, 173-89.

[19] *Discours*, 362-780.

[20] A. Mascardi, *Dell' arte historica*, Rome, G. Fiacciotti, 1636.

[21] Voir Bertelli, *op. cit.*, chapitre 1, 17 en particulier et, pour bien comprendre pourquoi Retz "traduisit" *La congiura del conte Gio Luigi de' Fieschi* de Mascardi (Venise, G. Scaglia, 1629), sa *conclusion* (293): Retz aurait au fond été le seul historien "rebelle" *(La conjuration du comte Jean-Louis de Fiesque* (Paris, C. Barbin, 1655).

[22] *Discours*, 278=759.

[23] Barbara Cassin a donné l'interprétation philosophique la plus pertinente sur la position occupée par le texte de Lucien dans le débat sur la fiction (*L'effet sophistique*, Paris, Gallimard, coll. "NRF/Essais", 1995, III, 489-493).

[24] Voir Bertelli, *op. cit.*, 21 sur l'opposition entre F. Patrizi, (l'*utilitas* qui laisse entier le problème de l'objectivité) et S. Speroni ("dilettare al fine d'istruire").

[25] Nous avons consulté la traduction de Jacques-Nicolas Belin de Ballu: Lucien,

collèges que Racine, à Port-Royal, le traduira[26]. Lucien ne nourrit aucune illusion sur l'histoire, on le sait:

> Je dis que pour être bon historien, il faut réunir en soi deux qualités principales: la première est une intelligence capable des affaires d'Etat, et la seconde est l'art de bien s'exprimer[27].

Et d'ajouter, dans un même souffle, que:

> L'une ne peut s'apprendre; c'est un présent de la nature; l'autre peut s'acquérir par l'exercice, c'est un travail continuel, et surtout par l'imitation des Anciens[28].

Cette dualité même justifie le recours à un lecteur capable de comprendre les motifs des actions politiques depuis le secret du cabinet. L'historiographe se "divertit", c'est-à-dire qu'il offre au Prince ou au Ministre le spectacle littéraire de l'âme politique. Il faut s'attarder aux vingt premières pages du *Discours* même si C. Borghero a tenté de démontrer, non sans vigueur, que le précepteur des enfants de France s'en était toujours tenu à la position d'une historiographie fondée sur Cicéron[29] et le dicton de l'*opus maxime oratorium*, dont l'une des conséquences serait un certain scepticisme[30]. L'érudition qui est ici vraiment le "décorticage" – l'*eruditio* – des apparences prises dans la multitude des faits et leur brouillage, conduirait, à rebours de la leçon prodiguée par Lucien, au retrait de l'historien.

Or le début du *Discours* procède à une soigneuse mise en scène de l'écriture, un moment autobiographique:

> J'etois depuis quelque mois dans le plus profond repos, dont je pense qu'un homme de ma profession puisse joüir dans le monde. Exemt d'ambition, d'affaires, & de tout autre dessein que de contenter mon humeur pour lors studieuse, je conversois avec ces grands hommes de l'Antiquité, qui nous disent sans flatterie ce qu'ils pensent du vice & de la vertu [...] Je contemplois de mon cabinet ces grandes révolutions de l'Europe, du même oeil que j'ai

---

De la manière d'écrire l'histoire, éd. revue et corrigée (1ère éd., 1788), Paris, J. Delalain, 1866.

26 Racine, *Œuvres*, Paris, 1767, III, 330-34.

27 Lucien, *op. cit.*, 34, 22.

28 *Ibid.*, 34, 22-23.

29 Borghero, *op. cit.*, 73.

30 Bertelli, *op. cit.*, 21.

souvent regardé le changement des Scènes, & les faces différentes d'un Théâtre[31].

Il faudrait comparer cette déclaration d'exil intérieur préludant à la découverte d'un certain mode de la vérité, au *Discours de la méthode* dont on sait qu'il énonce une prise de distance radicale avec l'histoire[32]. Dans le cas de La Mothe Le Vayer l'état d'âme le plus propice à la composition historique reste celui de la retraite, laquelle permet deux actes intellectuels décisifs: la contemplation et la conversation, actes critiques du sceptique à la Cour[33].

Contempler revient à accepter que les événements présents se comportent comme des livres sur des rayonnages où l'historien puise ses thèmes et ses personnages. L'historien peut croire à l'utilité de la lecture des livres d'histoire[34] dans la seule mesure où il est convaincu de leur valeur exemplaire. A rebours, C. de Saint-Réal déclarera en 1671 qu'

> étudier l'Histoire, c'est étudier les motifs, les opinions, & les passions des hommes, pour en connoître tous les ressorts, les tours et les détours, enfin toutes les illusions qu'elles sçavent faire aux esprits, & les surprises qu'elles font aux cœurs[35].

Les *arcana principum* ont leur réponse dans les arcanes des historiens que sont le maniement des *exempla*[36]. De fait, pour La Mothe Le Vayer, mais aussi pour un F. Strada[37] ou un J.-A. de Thou[38]

---

[31] *Discours*, 279=759.

[32] Voir Borghero (*op. cit.*, 13-15) et Jacques Solé, "Religion et méthode critique dans le *Dictionnaire* de Bayle", in *Religion, érudition et critique à la fin du XVII*e *siècle et au début du XVIII*e *siècle*, Paris, Presses Universitaires de France (coll. "Bibliothèque des centres d'études supérieures spécialisées, université de Strasbourg", 11), 1968, 109.

[33] Voir mon essai, "Aut Asinus aut rex", sur La Mothe Le Vayer courtisan, à paraître dans les Actes du colloque "Le philosophe et la Cour" (sous la direction d'Emmanuel Bury).

[34] *Discours*, 282=760.

[35] César Vichard de Saint-Réal, *De l'usage de l'histoire*, texte présenté par R. Démoris et Chr. Meurillon (réimpression de l'édition de 1693; 1e éd., 1671), Villeneuve d'Ascq, Gerl 17-18/université de Lille III, 1980, 1-2 du *fac-simile.*

[36] *Discours*, 335-6=773 (Bayard et Léonidas).

[37] Voir Bertelli, *op. cit.*, 23, sur l'importance de trois *Prolusiones* de 1617 où l'Histoire est définie, par la bouche de Muret, "illum dixi transmissionem rerum gestarum ad posteros", de cette insistance sur les "faits" comme "hauts faits".

[38] Jacques-Auguste de Thou, *Historiarum sui temporis*, Paris, A. et H. Drouart,

– pour prendre deux types opposés de l'historien –[39], le travail de l'historien se pratique sur le temps présent, et c'est la condition de sa vérité, mais *pour l'avenir*, et c'est celle de son objectivité. La Mothe Le Vayer emboîte ici le pas à Lucien[40] mais il juge l'entreprise au dessus de ses forces[41].

Mais que sont ces forces? La contemplation suppose en effet que l'esprit puisse se contenter de *réfléchir*, au sens le plus concret du terme, celui-là même de Lucien:

> Mais surtout qu'il rende son jugement semblable à un miroir brillant et sans tache, dont le centre parfait répète avec exactitude tous les objets qu'il reçoit, sans les renverser [...] car l'historien ne compose point comme on le fait dans les écoles des rhéteurs[42].

En d'autres termes la *réflexion* historique possède une capacité d'*evidentia* ou d'*enargeia* dont la source est pour le moins ambigüe[43].

Un mentor dans cette voie qu'il refuse de suivre, composer une "Histoire de nôtre tems"[44], La Mothe Le Vayer aurait dû l'aller chercher dans le modèle offert par le Président de Thou, son aîné et son initiateur[45]. Il avait là, sous ses regards, puis en lisant les trésors de la bibliothèque royale mis à sa disposition par les frères Dupuy, compris qu'un historien engagé, comme de Thou l'avait été[46], dans les affaires civiles, est condamné à épuiser son génie littéraire et son talent d'homme d'Etat à la composition d'une œuvre toujours inachevée[47]: La Mothe Le Vayer n'était pas dispo-

---

1609-10. De Thou mourant la main à la plume en 1617, P. Dupuy et N. Rigault font paraître les volumes manquants. L'édition de référence est celle collationnée par Samuel Buckley, Londres, 1733.

39 Voir Bertelli, *op. cit.*, 21, à propos de F. Patrizzi.

40 *Discours*, 287=761.

41 *Discours*, 283=760.

42 Lucien, *op. cit.*, 51, 30.

43 Voir le premier chapitre de Bertelli, "Ars historia?", 3-36, et Jean-Michel Dufays et Chantal Grell (éds.), *Pratiques et concepts de l'histoire en Europe XVIe -XVIIIe siècles*, 9-17 et 19-41.

44 *Discours*, 283=760.

45 Voir Wickelgren, *op. cit.*, 23-4.

46 De Thou avait joué un rôle décisif dans la succession des Bourbons aux Valois, dans la rédaction de l'Edit de Nantes et l'enregistrement de l'Edit de Saint-Germain (1595). Il s'efforça en outre de tenir la France hors de l'application des décisions de Trente.

47 Voir note 38 *supra*.

sé à composer une Histoire de son époque et mourir à la tâche. Mais, pourquoi donc?

Dans *l'Epistre au Roy* qui préface l'*Historiarum sui temporis*[48], texte clef pour le XVIIe siècle, de Thou délimite en effet le territoire de l'historien: l'*Epistre* proclame une triple indépendance, celle de l'historien vis-à-vis de ses lecteurs, nourris de "préjugés du logis"[49], celle de l'homme d'Etat vis-à-vis de l'érudit que lui-même a toujours été ("J'ay receu ceste nourriture de mon pere, qui estoit comme chacun sçoit, nay prud'homme")[50], en érudit dans la lignée nationaliste d'un Bodin et d'un Pasquier[51], enfin celle de l'historiographe d'Etat vis-à-vis de son roi. Dans ce dernier cas, de Thou tire un trait bien ferme entre le panégyrique et l'histoire: la louange royale advient *par le cours-même* de la narration des faits[52]. Au demeurant c'est bien parce que Henri IV a pu rétablir la paix, c'est à dire "deux choses qu'on tenoit incompatibles, la Monarchie, & la Liberté"[53], que la composition de cette *Historia* est possible[54]. Corneille tirera dans *Cinna* la leçon théâtrale de l'*Epistre* de Thou. Mais lorsque La Mothe Le Vayer répète, assez servilement, la *doxa* cicéronienne ("publier le bien & le mal", suivre le "fil de l'Histoire", émouvoir et plaire afin d'instruire)[55], n'est-ce pas là au fond une esquive? Le futur précepteur royal repousse de côté non pas tant la question de l'objectivité que celle de la moralité, de la nécessité morale pour un érudit de son calibre de rendre compte de son propre temps: sans vouloir rivaliser avec S. Dupleix ni, par anticipation, avec F. de Mézeray[56], La Mothe Le Vayer refuse d'envisager le métier d'historien comme un devoir ou comme un ralliement politique (c'est le cas de Mézeray lors de la Fronde).

---

[48] Jacques-Auguste de Thou, *Epistre (...) Au Roy* (traduite du latin par Nicolas Rapin), Paris, P. Chevalier, 1614.

[49] De Thou, *Epistre*, 6.

[50] *Ibid.*, 28.

[51] Voir Bertelli, *op. cit.*, chapitre 9, "Romani e francogalli", 221-33.

[52] De Thou, *Epistre*, 29-30.

[53] *Ibid.*, 5.

[54] *Ibid.*, 29-30.

[55] *Discours*, 289=762, 294=763.

[56] Sur la tension entre l'érudition et l'historiographie voir George Huppert, *L'Idée de l'histoire parfaite*. Egalement, Bruno Neveu, *Erudition et religion aux XVIIe et XVIIIe siècles*, Paris, Albin Michel (coll. "Bibliothèque Albin Michel Histoire"), 1994.

Ce faisant, il trahit la pensée de de Thou, qui terminait son *Epistre* sur une prière à Dieu:

> Donne une telle force à ce que le diray & escriray cy-apres que ceux qui viuent à présent, & qui viendront apres nous, recoignoissent ma liberté reglée de ma conscience & de la vérité[57].

Car, alors que de Thou place sa liberté dans l'inspiration divine, La Mothe Le Vayer place la sienne dans la maîtrise des sources historiographiques.

Catholique, de Thou ne pouvait pas, composant son *Histoire*, ne pas se projeter en esprit vers les livres historiques, "inspirés", de l'*Ancien testament*. La belle prière qui conclut l'*Epistre* rassemble en elle la certitude que l'inspiration divine est nécessaire et la nostalgie, poétique, d'une invocation à la Muse. Rien de tel chez La Mothe Le Vayer: le précepteur des enfants de France prend le contrepied de son aîné. Il concluera son ouvrage sur les historiens anciens, en 1646, par une prière oblique, adressée au soleil, par l'entremise d'Apollonios[58].

L'ironie de la parabole n'échappera à personne et sûrement pas à Mazarin, le dédicataire de l'ouvrage.

La lecture d'un ouvrage historique, tel est le fond de la question, ressortit à un art de la conversation, qui ne doive rien ni à l'autorité divine ni à l'autorité séculaire mais qui, librement consentie – il parle de "livre heureux" –[59], permette à l'historien de faire communiquer entre eux...d'autres historiens. La conversion remplace l'inspiration, et l'amitié la prophétie. Si le *Discours* de 1638 avait pour prétexte un dialogue avec un ami, le *Jugement* de 1646 met en scène quatorze historiens grecs et dix historiens latins. Nous retrouverons l'amitié plus loin.

Deux modèles projettent ainsi leur ombre sur le *Jugement*: d'une part celui des *vies parallèles*, d'autre part celui des *caractères* dans une sous-catégorie de tempéraments affublés du nom générique d'"historien". Car le défaut de l'*Histoire auguste* est flagrant: on n'en peut cerner l'auteur, le vif de la "vie" en est banni, c'est un

---

[57] De Thou, *Epistre*, 736.

[58] *Jugement, Avant-Propos* (8)=11. Flavius Philostrate, *Vie d'Apollonios de Tyane,* in *Opera omnia*, Paris, Cl. Morel, 1608.

[59] *Ibid.*, (9)=12.

“cadavre”[60]. La Mothe Le Vayer qui, en 1636, avait écrit sur la *Contrariété d’humeurs* entre les Français et le Espagnols, pouvait aussi penser en fonction de la théorie des tempéraments raffinés par Juan Huarte dans son *Examen des esprits*[61]. Il existe enfin un indubitable lien métaphorique entre l’image du cadavre, qui apparaissait déjà dans le *Discours*[62], et celle du corps historique qui est, *à la fois* l’ouvrage *et* ce qu’il ressuscite. Le sublime de l’historiographie réside bien dans la reconstitution énergétique (d’*enargeia*) qui donne l’apparence (*evidentia*) du vivant, bref de l’actuel.

La Mothe Le Vayer fait donc dialoguer entre eux, ou parler tour à tour dans une sorte de harangue oblique, ces vingt-quatre historiens. Il pose sur son visage vingt-quatre masques. Une conversation avec les morts commence, dûment préludée par un rappel de ses conversations, de vive voix, avec de Thou, Naudé et les frères Dupuy. Chaque historien[63] prend figure de *caractère* afin que leur réunion, une “élection” dit La Mothe Le Vayer, forme un programme complet de choix historiographiques. Ainsi, La Mothe Le Vayer fonde son portrait d’Hérodote sur deux traits principaux: la stupéfaction provoquée par la récitation à Olympie du texte d’Hérodote – Thucydide pleure –[64] et celle de la véracité contestée de certains faits. La Mothe Le Vayer se sert de la *Vie d’Hérodote* – qui est déjà, j’y reviendrai ailleurs, une forme de *l’éloge académique* – pour mettre en avant les deux premiers lieux communs du *caractère* de l’historien, le *stupor* (qui a trait à l’*enargeia*)[65] et l’existence pour un fait donné de témoignages contradictoires (ici, Hérodote, inspiré par les Muses, s’oppose à Plutarque et Dion Chrysostome, inspirés, dans l’imagination érudite, par Trajan)[66].

De *Vie* en *Vie*, La Mothe Le Vayer dresse un art de la mémoire de l’historiographie avec ses lieux de rappel, ses pierres d’attente

---

60 *Ibid.*, (3)=10.

61 Juan Huarte, *Examen des esprits* (trad. par G. Chappuys), Rouen, T. Reinsart, 1598.

62 *Discours*, 294=763.

63 *Jugement, Avant-Propos*, (1)=10.

64 *Ibid.*, 2=12.

65 Sur l’*enargeia* voir le volume collectif sous la direction de Carlos Lévy et Laurent Pernot, *Dire l’évidence (Philosophie et rhétorique antiques)*, Paris, L’Harmattan (coll. “Cahiers de philosophie de l’université de Paris-XII-Val de Marne”, 2), 1997.

66 *Jugement*, 10-12=14-15.

et ses signes reconnaissables. Cette conception méthodique permet, à qui veut devenir historien, de choisir ses concepts et ses instruments.

La Mothe Le Vayer dégage, dans une *Préface* rajoutée par l'éditeur en 1669, les principes de cette méthode. Cette *Préface* énonce les canons classiques d'un *Art historique* et forme l'équivalent pour l'histoire classique, en poésie de l'*Art poétique* de Boileau et du *De arte graphica* de Du Fresnoy en peinture[67].

Ces règles sont au nombre de quatre et chacune s'articule sur un critère spécifique: la digression est nécessaire car, sans rompre le fil chronologique, elle permet d'épaissir son sujet sans entacher la clarté et la méthode[68]; son critère c'est la nécessité de faire intervenir les "mœurs" (ainsi Tacite, interrompant son récit du siège de Jérusalem, pour analyser les origines des Juifs)[69]. Deuxièmement l'hystérologie, est souvent désirable: si La Mothe Le Vayer compare à un *colosse* (une image, un double) aux membres épars une chronologie dispersée par la logique, la rupture maîtrisée du fil chronologique (hystérologie) peut produire un double plus fidèle des faits[70]. Troisième règle, l'importance des harangues, des dialogues, des lettres qui[71] doivent toujours rester "obliques"; la prosopopée est bannie[72]: le critère de cette exclusion se fonde sur la nécessité de donner une densité humaine suffisante aux acteurs historiques sans que jamais ils ne deviennent des personnages théâtraux ou romanesques. Enfin La Mothe Le Vayer plaide en faveur des comparaisons entre des faits similaires appartenant à des Histoires différentes, l'Ancienne et la Moderne évidemment, afin d'en miner déjà l'exclusivité morale[73].

Chacune de ces règles résume avec une concision exemplaire le métier d'historien. Leur simplicité, qui offre une voie moyenne dans les débats sur la manière d'écrire l'histoire au XVIIe siècle, dissimule cependant un échec: concluant cette *Préface*, "il me reste à dire un mot touchant ma façon d'écrire"[74], La Mothe Le Vayer

67 Voir Wickelgren, *op. cit.*, 138 n.3.
68 *Jugement, Préface*, 294-98=85-86.
69 *Ibid.*, 298=85.
70 *Ibid.*, 298=85.
71 *Ibid.*, 300-305=87-88.
72 *Ibid.*, 300=87.
73 *Ibid.*, 305=88.
74 *Ibid.*, 307=88.

sait qu'il n'est pas un historien – pas plus que Boileau ne fut le grand poète que laissait présager son *Art poétique*, ou Du Fresnoy un second Poussin. La raison de fond qu'il avoue en ouverture et en conclusion de la *Préface* repose sur une analyse des passions: lire l'histoire et écrire l'histoire mettent en mouvement la haine, l'envie, le ressentiment, la flatterie et même parfois la bassesse. Revenant sur l'image du miroir chez Lucien, il écrit:

> La plupart des personnes, qui se servent de miroirs, sont bien aises qu'ils les flattent, & il y en a fort peu qui se plaisent à se voir dans l'Histoire[75].

Et, reprenant sa métaphore *colossale*, il note qu'un ouvrage historique mérite d'être vu de près tel une "statue où l'on observe mille délicatesses"[76], ce qui n'est pas toujours du goût de tous. L'histoire piège.

La leçon est maintenant claire: chacune des quatre règles recèle un piège. La digression, le roman; l'hystérologie, le merveilleux; la rhétorique, l'appel au pathétique; les comparaisons, la flatterie aulique.

Le meilleur exemple de ce terrible piège on peut le voir à l'œuvre chez A. Varillas qui, décrivant la vie de Charles-Quint, veut prendre, en quelque sorte, une option sur toute comparaison future entre l'Empereur et le Roi-Soleil[77]. Ecrire et lire l'histoire forment des exercices mentaux de dénégation, une propédeutique à l'autonomie du sujet.

Mais nous sommes en 1668. La France signe une paix qui lui conserve Douai et Lille, le jeune roi entre dans la carrière de la gloire. C'est ce moment précis que choisit La Mothe Le Vayer pour expliquer pourquoi il s'est contenté de demeurer un "historien des historiens" et, choisissant ainsi de fermer les yeux sur une actualité qu'il voyait se faire de près, il n'est pas devenu le Plutarque de Louis XIV.

Comme dans les autres cas, La Mothe Le Vayer préface son essai d'un autre court essai qui forme, dans la suite de textes exa-

---

[75] *Ibid.*, 310=89.
[76] *Ibid.*, 309=89.
[77] Antoine Varillas, *La pratique de l'éducation des princes*, Paris, C. Barbin, 1684, dont il faut lire la dédicace à Louis XIV!

minés, le dernier point d'une méditation sur les leçons de l'H/histoire.

En quelques pages chagrines mais incisives, qui ne sont pas sans rappeler les meilleurs moments de l'*Apologie de Raymond Sebond*[78], l'auteur mêle, et c'est le charme de cette préface admirablement écrite, l'autobiographique au critique:

> S'il ne faloit jamais écrire, qu'on ne pût le faire avec la perfection, qui se remarque dans les plus grands Auteurs, j'avoue que beaucoup de personnes, qui mettent la main à la plume, s'en pourroient abstenir, & moi le premier[79].

A cette différence, ajoute-t-il, que son époque abonde en faux érudits qui sont en fait de vrais dogmatiques[80]. La Mothe Le Vayer compare le genre littéraire métaphorique qu'il pratique, l'essai, à des arbres "fruitiers", alors que la plupart des ouvrages historiques qu'il voit planter autour de lui sont "pour le seul plaisir de la vuë, ou pour donner de l'ombre"[81]. Il sait que l'alliance du savoir, fondé sur une pratique des Anciens, de la conversation amicale, et riche du dialogue soutenu avec les Morts, et d'un style que l'on désire ardemment sien, unique, identifiable, est sur le point de passer la main et que le plaisir pris par ses contemporains aux histoires à la Varillas ou aux romans (dans l'*Avant-Propos* du *Jugement* il lâche cette belle formule: "Ce nombre infini de personnes qui préfèrent [...] l'Histoire des Romans à toute celle des Romains")[82] est d'une nature différente.

Le conflit entre historiens du *docere* érudit et du *delectare* rhétorique[83] s'est désormais réaligné sur une opposition entre le sens du fugace, ce désir du moderne qui hante les personnages de La Bruyère, et la nostalgie de cette distance envers l'historique comme l'actuel que donne la pratique humaniste de l'érudition. Le *docere* et le *delectare* que suscitent les œuvres historiques à la

---

[78] Michel de Montaigne, *Apologie de Raymond Sebond*, éd. Paul Porteau, Paris, Aubier, 1978.

[79] *Certitude, Préface*, (1)=327.

[80] *Ibid.*, (4)=329.

[81] *Ibid.*, (3)=329.

[82] *Jugement, Avant-Propos*, (7)=11.

[83] Voir Françoise Waquet, "*Res et verba*: Les érudits et le style dans l'historiographie de la fin du XVIIe siècle", *Storia della storiografia*, 8, 1985, 98-109.

mode se réconcilient dans l'inutilité morale de leur lecture, voilà ce que veut dire La Mothe Le Vayer.

Du peu de certitude qu'il y a dans l'histoire[84] est donc un véritable tour de force sceptique. La Mothe Le Vayer, sans avoir l'air d'y toucher ("Comme je m'abstiens de chercher la quadrature du Cercle")[85], délivre sa plus belle leçon de scepticisme. De fait – faut-il le rappeler – en 1668, Gilles Boileau donne sa traduction française de la *Vie des philosophes de Diogène Laërce* alors qu'en 1664 Ménage, ami de La Mothe Le Vayer, avait livré au monde savant l'édition définitive, en grec et en latin, de ce texte essentiel. Là, dans la *Vie de Pyrrhon*[86], on découvrait les dix modes sceptiques, les dix "sortes d'ambiguitez"[87] auxquels avait déjà puisé Montaigne. Dans les années soixante une connivence existe qui met au premier plan les textes sceptiques.

Le traité de 1668 est un exercice de virtuosité apparemment désinvolte dans l'application des modes sceptiques à l'écriture de l'Histoire[88].

Le premier mode, qui établit les différences de comportement entre l'homme comme animal et l'animal, est repris par La Mothe Le Vayer au profit d'une comparaison, qui ne manque pas de sel entre les fables où l'animal agit et parle et les récits de voyageurs en Extrême-Orient où les hommes se comportent pour le moins étrangement[89]. Il active le deuxième mode, celui de la variété des comportements humains, à propos de l'épisode controversé de la continence de Scipion[90]. Le troisième mode, celui du conflit entre les sens dans l'appréhension du monde extérieur, est habilement transposé par La Mothe Le Vayer dans le domaine de la perception du temps, essentiel pour un historien, bref les conflits de calendrier[91].

---

84 *Certitude*, 441-80=330-40.
85 *Certitude, Préface*, (4)=329.
86 *La vie de Pyrrhon* est au livre 9, dans l'édition Boileau, II, 712-45 les modes 726-32; dans l'édition Ménage col. 252 D et suiv. et les notes de l'érudit français col. 247 B255D (pagination séparée).
87 Diogène Laërce, *op. cit.*, éd. Boileau, 726-32.
88 Pour une présentation des modes, rappelons: Julia Annas et Jonathan Barnes, *The Modes of Scepticism. Ancient Texts and Interpretations.*
89 *Certitude*, 476=339.
90 *Ibid.*, 454=333.
91 *Ibid.*, 456=334.

Le quatrième mode qui a trait à la différence de perception selon les circonstances d'un individu à un autre reste évidemment une des pierres angulaires du témoignage historique, et La Mothe Le Vayer – sans attendre Todorov – ne manque pas de souligner que

> si nous avions des Commentaires d'Ambriorix, ou d'Induciomarus, de Vercingetorix, ou de Divitiacus [...] il s'y trouveroit des recits bien différens de ceux de César[92].

Le cinquième mode, qui tire argument de suspension du jugement des positions dans l'espace, est introduit par l'auteur grâce à une parabole sur la peinture qui mériterait un traitement plus attentif[93]. Le sixième mode, qui caractérise la confusion provoquée par les sens et que l'intelligence n'est pas équipée pour démêler scientifiquement, est mis à contribution par La Mothe Le Vayer pour exempter ironiquement l'Histoire Sainte de son enquête: celle-ci n'est-elle pas, en dernière analyse, par ses incohérences, une preuve en faveur de la "suspension de créance"?[94] Le chemin est préparé où marchera Voltaire allègrement. Le septième mode – celui de la quantité – affecte la question de la quantification des faits mais aussi le temps nécessaire à un ouvrage d'histoire pour devenir "crédible"[95]. Le huitième mode, celui de la relativité, est essentiellement important quant à l'établissement d'un fait par rapport à la masse des autres faits, processus de différenciation nécessaire à la causalité. Le neuvième mode, celui de la rareté, touche un point encore plus sensible de l'esprit historique: La Mothe Le Vayer ne se fait pas faute de rappeler que l'habitude moderne de privilégier les récits anecdotaux, supposés plus véridiques car plus singuliers (Lucien avait déjà averti contre ce dévoiement – et c'est la source classique de la sociologie du quotidien)[96] – est une sottise (comment faire une science du singulier?)[97]. Enfin le dixième mode, qui porte sur la relativité des coutumes et des lois, il est le territoire même de l'historien.

---

[92] *Ibid.*, 462=335.
[93] *Ibid.*, 462=335.
[94] *Ibid.*, 475-6=338-39.
[95] *Ibid.*, 479=339.
[96] Voir Lucien, *op. cit.*, 22.
[97] *Certitude*, 456=337.

Au terme de ce démontage en règle, où La Mothe Le Vayer aura "suivi son génie"[98], que reste-t-il sinon une certitude, et une seule, que l'Histoire, érudite ou mondaine, sceptique ou partisane, rhétorique ou compilatoire, n'est jamais qu'un objet de "curiosité"?[99]

La Mothe Le Vayer avait bien compris que si son Académie et celle des Inscriptions se chargaient de garder vivante la mémoire de l'élève royal et que si, au fond, la manière la plus efficace de raconter l'Histoire était de frapper des médailles en suivant la méthode littéraire bientôt fixée par Boileau dans son *Discours sur le stile des Inscriptions* (1685), il lui fallait mieux se taire. On peut rester songeur devant cette abdication intellectuelle[100]. Le libertinage érudit serait une première "trahison des clercs", celle qui laissa le Roi-Soleil sans autre recours face à l'histoire que d'écouter, émerveillé, les concerts d'odes panégyriques et de manier, ébloui par sa propre image, les médailles d'or à son effigie, offertes aux despotes orientaux, ses seuls cousins. C'est la "nature" du prince qui fait donc problème.

---

[98] *Ibid.*, 442=330.

[99] *La science de l'histoire*, 187.

[100] Nicolas Boileau, *Discours sur le stile des inscriptions*, in *Œuvres*, éd. A. Adam, Gallimard (coll. de La Pléiade), Paris, 1966, 611-12. Voir aussi René Demoris, "Saint-Réal et l'histoire ou l'envers de la médaille", in Saint-Réal, éd. citée *supra* n. 35, 43-55.

CHAPITRE TROIS

Les *Géorgiques* du Prince et les paysans du Dauphiné

"Il faut aussi remarquer que le terme de Nature est équivoque, & se prend pour plusieurs choses différentes" note, non sans humour, La Mothe Le Vayer au début de sa *Physique du prince*[1]. L'instruction du Dauphin comprend en effet une longue présentation de la "physique", une mise en ordre de l'amphibologie à laquelle se prête le terme de Nature. La Mothe Le Vayer détaille en effet que:

> Parfois l'on s'en sert pour exprimer le temperament de chacun, quand on dit qu'une personne est d'une nature delicate, bilieuse, ou mélancolique. On l'emploie aussi en parlant des Elements: La nature du feu est de brûler; celle de l'eau de refraichir & d'humecter. Il designe même dans l'Anatomie la partie autrement honteuse, & qui sert à la generation dans l'un & l'autre sexe: La nature de l'homme: la nature de la femme. Mais son principal usage va parmi les Philosophes à signifier ou l'Auteur de la Nature, ou le Monde & ce qu'il contient, qui servent d'objet à la science naturelle appelle Physique. Ainsi les Grecs, & les Romains ont revé cette même Nature sous le nom d'une Divinité masculine, puisque Pan leur étoit ce que nous venons de dire. Et l'Ecole Chrêtienne a inventé pour expliquer cela, les façons de parler barbares de *Natura naturans*, qui est Dieu, & de *Natura naturata*, par où les Docteurs entendent le Monde considere comme la creature du même Dieu[2].

---

[1] La Mothe Le Vayer, *La physique du prince*, in *Œuvres*, I, 217-262=II/1, 2-182.
[2] *Ibid.*, 218=4.

Le futur roi, dont l'*Instruction de Monseigneur le Dauphin* doit forger la "nature" princière, véritable objet de la pédagogie[3], est confronté à un problème sceptique sur la nature de la Nature. Que va faire le sceptique?

D'emblée, la position de ce traité, à l'intérieur de cette *ratio studiorum* royale, appelle une remarque: il s'agit là non seulement du plus substantiel des six cours, il s'agit là surtout de leur conclusion. La Mothe Le Vayer referme le syllabus royal sur cette enquête: le futur roi termine ses études par une réflexion serrée sur le Monde, champ d'action physique des vertus princières formées, elles, à travers l'enseignement prodigué par les cinq autres traités[4]. D'autre part, à considérer la présentation discursive que La Mothe Le Vayer esquisse pour le bénéfice de Richelieu dans l'*Instruction* elle-même, il apparaît que la physique forme charnière entre le programme des arts libéraux (grammaire, rhétorique, logique, arithmétique, musique, géométrie) et le *curriculum* des arts mécaniques: l'étude de la Nature précède immédiatement celle de l'agriculture et de la chasse.

Bref, la connaissance de la physique trouve aussitôt son application, répondant à l'un des thèmes favoris de la *paideia* noble (la chasse, la promenade dans les domaines, la contemplation de l'*économie*, dont la source la plus ancienne et la plus vivace reste évidemment Xénophon) mais illustrant ici la cohérence de la démarche que suit La Mothe Le Vayer. L'étude de la Nature recèle une double face: elle recueille, de l'amont, les ressources charriées par les sciences formelles, elle façonne, vers l'aval, les bénéfices concrets tirés de l'exercice raisonné du pouvoir absolu. La Mothe Le Vayer formule ce que Michel Serres nomme un "contrat naturel" entre le Prince et sa Terre.

De fait, il faut souligner que la place privilégiée attribuée à la Nature se renforce d'un long traité (presque aussi nourri que la *Physique*) de *Géographie*. Le prince passe ainsi de la compréhension

---

[3] Voir à propos de Louis XIII et de Balzac, mon "Balzac, lecteur de Pline: La fiction du Prince" et l'essai qui le complète, "*The Author Writes like a Briton*. La réception de Balzac en Angleterre", *Littératures classiques*, actes du colloque du quadricentaire, sous la direction de B. Beugnot, 33, 1998, 247-262.

[4] L'avertissement indique toutefois que la *Physique* a été imprimée à la fin du volume, à cause de sa longueur.

abstraite des éléments naturels (*Physique*, XI-XV) à leur observation concrète. Le cours de géographie est une leçon de choses naturelles qui révèle au futur monarque le cadre et le domaine où se manifeste matériellement l'action politique. A la limite, et La Mothe Le Vayer le déclare dès son introduction, la géographie porte à fruition pratique les promesses abstraites de la physique et continue l'enseignement de l'arithmétique et de la géométrie. En d'autres termes, la connaissance de la Nature permet un recentrage du projet pédagogique qui devient éminemment pratique. Hormis la rhétorique et la logique, sciences du discours et à ce titre mises à contribution incessamment, il semble que les autres matières d'étude se placent en faisceau autour de la physique. Conséquemment, La Mothe Le Vayer harnache étroitement sa *Morale* à la *Physique* et à la *Géographie*. Il souligne avec esprit, dans l'*Instruction*, que "n'y aiant point de plus beau Livre au monde, ni de plus Royal que le Code de la Nature[5]", la géographie enseigne au prince le lieu d'une action qui doit s'écrire dans ce livre global, selon des règles qui en assurent l'harmonieuse et donc naturelle intégration, règles que dispense l'éthique. Connaître le fonctionnement des éléments, en observer l'agencement pratique mais aussi en reconnaître en soi-même le *tempérament*, assure le prince de sa juste place sur la Terre.

Dans une telle perspective l'exclusion de l'Histoire hors du syllabus assigne à ce projet sa cohérence: l'Histoire, contrairement à la géographie, ne procède pas directement de la physique, elle est filtrée par la mémoire et par les passions humaines, elle est incertaine, instable, "destructive" dans l'exacte mesure où la géographie semble relever du concret, du terrien – instructive, en effet. Le scepticisme de La Mothe Le Vayer, amplement mis en œuvre comme nous l'avons vu dans sa critique systématique de l'Histoire, ne semble par mordre sur l'étude de la Nature. Car, alors que La Mothe Le Vayer refuse aux *exempla*, nerf et valeur de la connaissance historique au regard de l'éducation, toute valeur pédagogique (sauf celle d'assurer le royal disciple que l'attachement aux exemples est fallacieux), il accorde aux enseignements naturels ce qu'il retire aux leçons de l'histoire: en passant de la physique à la

---

[5] La Mothe Le Vayer, *op. cit.*, 66=182.

géographie, le prince entre dans une sorte de temps figé, du temps long, les configurations humaines et sociales telles qu'elles se sont déposées et superposées sur la Terre.

Le cours de géographie, qui procède de la "carte generale" (les grands éléments physiques, bref la Nature sous les espèces du Monde) aux cartes particulières, se développe rapidement et logiquement à la manière d'un cours de géographie humaine, religieuse, linguistique, politique: ce sont là des exemples tangibles et relativement certains de sociétés, grâce auxquels le prince apprend à "régler sa domination".

La mise en place du contrat entre le Prince et la Terre se poursuit donc dans la fréquentation – seulement esquissée dans l'*Instruction* – des arts mécaniques. Car l'agriculture, la chasse, l'art militaire, l'architecture, la nage, la danse, la course et les collections de coquillage visent communément un seul objectif: rendre le jeune prince sensible aux éléments concrets de son futur domaine de sorte qu'ayant arpenté ses terres, touché la glèbe, peint des panoramas, contemplé les rivages[6], dansé avec les dames et tiré l'épée avec ses garçons d'honneur, le futur monarque aura corporellement pris mesure de la terre qu'il gouverne, autant que de la nature du pouvoir et de la nécessaire régulation des passions – la nature humaine. Le naturel princier, rappelle La Mothe Le Vayer dans la péroraison de l'*Instruction*, se module sur un impératif d'"utilité":

> Car puisque le métier des Rois est, comme nous avons remarqué, l'un des plus importans & des plus difficiles tout ensemble qui se puisse exercer, comment pourroient-ils vaquer à tant de differentes connoissances, sans faire un notable prejudice à celle qu'ils doivent prendre du gouvernement des peuples?[7]

La Mothe Le Vayer peut ainsi assujettir la logique, la rhétorique, l'économique et la politique à cet objectif de *contrat naturel* qui détermine, en retour, le naturel princier: "ergotant", l'art de logique ne peut servir qu'à "fortifier la Logique naturelle" du monarque – bref, repérer les équivoques; de la rhétorique le prince doit se

---

[6] Relire ici les belles pages d'Alain Corbin, *Le territoire du vide*, Paris, Aubier, 1988, I, 2.

[7] La Mothe Le Vayer, *op. cit.*, 83=251.

contenter de "tirer [...] d'aussi grands effets, que des troupes les plus nombreuses, & les plus aguerrie", accordant à cette "supreme faculté" le rôle d'un substitut à l'action (la parole fabrique); quant à l'économique elle sert de métaphore naturelle aux relations politiques (par le mariage et par la gestion du budget). Or, le cours de *Politique* articule ces dernières autour d'une maxime rectrice: "Un Roi ne peut donc mieux se conformer à (Dieu), qu'en ajoûtant aux dons de Nature dont il l'a gratifié"[8] un triple respect pour l'étude, qui règle l'esprit, la bonté, qui règle les passions, et le droit, qui règle les rapports sociaux. Il en résulte que la nature princière se forge dans une appropriation de la Nature, physique, morale, civile dont les instruments sont fortement subordonnés les uns aux autres. On ne peut mieux affirmer que le prince est différent des autres hommes: sa discipline est unique. Sa culture, des "géorgiques de l'âme" épigrammatise La Mothe Le Vayer, lui est originale.

La conséquence la plus inattendue de cette théorie pédagogique a pour lieu une attaque virulente lancée par La Mothe Le Vayer contre trois sciences qui revendiquent également une explication de la Nature.

En conclusion de l'*Instruction*, sur de longues diatribes, La Mothe Le Vayer récuse l'astrologie, l'alchimie et la magie. Le plan de l'*Instruction de Monseigneur le Dauphin* se révèle ainsi au grand jour: les arts libéraux, les arts mécaniques, les arts magiques. Or, et telle est l'ironie de fond, l'astrologie, l'alchimie et la magie (dans les salons, la physiognomonie par exemple[9]) prétendent synthétiser la formation mise en place par les deux séries corollaires du programme: théoriques-et-pratiques, métaphysiques-et-physiques, ces trois sciences voudraient d'un même geste doter le prince d'une connaissance de la Nature et de moyens d'action directe (magiques) sur celle-ci, laquelle dispenserait celui-ci de tout effort, de toute fortitude qui est, par contre, la source et la garantie des vertus de "bonté" et de "justice".

---

8 *Ibid.*, 299=328.

9 Voir Patrick Dandrey, *Poétique de La Fontaine (1). La fabrique des fables*, nouv. éd. (1ère éd., 1991), Paris, Presses Universitaires de France (coll. "Quadrige", 228), 1996, IV. Et dans mon *Culte de la voix au XVIIe siècle. Formes esthétiques de la parole à l'âge de l'imprimé*, Paris, H. Champion (coll. "Lumière classique", 4), 1995, I, 2.

L'astrologie dite judiciaire touche en effet exactement à la question de la Nature: comprendre le monde supra-lunaire assurerait d'une connaissance anticipée des événements sub-lunaires et offrirait à ceux qui l'assimilent un pouvoir absolu sur leurs semblables. L'argumentation suivie par La Mothe Le Vayer – un exemple du genre délibératif – exhibe que la créance accordée à la divination par la connaissance des mouvements et des propriétés des astres tient à ce que la physique est considérée comme insuffisante: celle-ci serait une science en retrait des choses, trop métaphysique en d'autres termes. Comme le dit La Mothe Le Vayer:

> C'est aussi une chose fort vraïe, que la contemplation des Astres, de leur situation, de leur cours, & de l'œconomie de toutes les Spheres superieures, a cela de propre, qu'elle nous leve au dessus de nôtre humanité, & nous fait mépriser tout ce qu'il y a de bas & de trop abject dans la vie[10].

Alors que la physique et les sciences qui en dérivent placent le futur prince au cœur de la Nature mais exigent de lui que leur pratique soit secourue d'une éthique capable seule d'élever l'âme royale au dessus de la nature humaine, l'astrologie, physique dévoyée ou physique technologique, peut exercer sa fascination sur ceux qui exercent un pouvoir quelconque. Car pratiquer l'astrologie ressortit à tenter un contrôle aussi efficace que possible: il s'agit donc là d'une science fanatique, dogmatique, des fausses causes – d'un savoir despotique.

La Mothe Le Vayer esquisse ainsi une double typologie des sociétés soumises à cette "superstition": cultures "orientales" et exotiques où le régime monarchique – l'œil fixé sur la supra-nature, les astres – s'est perverti en tyrannie; sociétés chrétiennes modernes où, pareillement, l'abus du pouvoir s'accompagne (mais La Mothe Le Vayer reste prudent dans sa diatribe contre cette mode médicéenne) du prestige des astrologues et tireurs d'horoscope. Il y a du Montesquieu dans La Mothe Le Vayer, et il faut être bien sourd pour ne pas entendre sous sa description des despostismes talismaniques une satire à peine voilée d'une culture française entichée de physiognomonie comme elle le sera bientôt de physique et plus tard de magnétisme ou de mesmérisme. Une fausse science

---

10 La Mothe Le Vayer, *op. cit.*, 85=260.

de la Nature s'accommode toujours d'une perversion de ces rapports dits naturels entre le prince et ses sujets, qu'une véritable éducation princière sait cultiver.

Il y a là, chez La Mothe Le Vayer, la reconstruction d'une contre-politique, d'un traité dont les termes et les exemples sont éparpillés dans l'anecdotique mais qu'il s'efforce de rassembler afin d'en montrer la vanité. Mises bout à bout, rameutées et ordonnées dans une narration primesautière, les mille anecdotes merveilleuses qui semblent conforter l'astrologie, forment en effet une science du pouvoir où l'action politique est déterminée par des équivoques et des hasards mais qui donne au prince qui s'en abuse l'illusion d'avoir pénétrer la Nature. Voltaire puisera dans ce folklore pour écrire – chez la sœur de l'élève princier de La Bruyère, la Duchesse du Maine, à Sceaux – les pages les plus amusantes et les plus sauvages de ses *Contes*. Dès lors, loin de parvenir à maîtriser sa propre nature, son tempérament, en réglant ses passions, le prince se trouve pris dans un double dilemme qui dérèglent le naturel royal, à savoir:

> Le bien qu'annoncent les Astrologues, nous fait désesperer s'il ne vient point, & quoi qu'il nous arrive enfin, l'attente en est ennuïeuse, outre que l'esperance qu'on a euë quelque tems a déjà moissonné, ce qu'il y a de plus sensible, & de plus pur, dans la joie qui accompagne un bien inesperé. Que si c'est du mal dont ils nous menacent, l'imagination nous le fait ressentir avant que de le recevoir, si tant est que leur conjecture se trouve veritable; & s'ils se sont trompez, comme il arrive presque toûjours: nous n'avons pas laissé de nous rendre miserables sans sujet, par cette vaine crainte du mal, qui ne touche souvent pas moins que le mal même[11].

La Mothe Le Vayer redouble alors cette réfutation de la mauvaise physique qui justifie une perverse politique d'une attaque contre la chimie (entendons l'alchimie) et donc la magie dite, précisément, naturelle.

De nouveau, une étroite alliance est mise en évidence entre le dévoiement de la physique et celui de la politique: tenter la transmutation des éléments naturels non seulement se résorbe dans un

---

[11] *Ibid.*, 102=326.

essai de renversement des rapports économiques mais encore dans une substitution politique et éthique:

> Il y auroit peut-être plus de Midas que de Salomons au monde, & plus de Souverains qui souhaiteroient ce thresor (la pierre philosophale), que la Sagesse, s'ils croyoient le pouvoir obtenir[12].

Ainsi, la véritable transmutation ne réside pas dans une tentative de subversion de la Nature – le plomb devient or, le prince local monarque global, rêve impérial des despotes espagnols, chinois ou français? – mais dans cette transformation d'un enfant royal en véritable souverain, maître de lui, maître de l'univers, entendons l'univers harmonieux des rapports humains. Il n'est d'autre pierre philosophale que la *paideia* du prince.

Ici encore, La Mothe Le Vayer illustre sa thèse d'exemples empruntés à la lancinante contre-histoire des despotes: Philippe II ou Rodolphe de Habsbourg. Or, que serait la magie, autre mode opératoire de la fausse physique, sinon vouloir forcer la main au contrat naturel entre le Prince et la Terre? Les craintes de La Mothe Le Vayer, cette peur que le règne à venir se déroule sous l'influence des "sorciers", relève de la certitude que le juste exercice du pouvoir se fonde sur une éducation qui constamment tienne à distance tout désir de manipulation des rapports du prince et de ses sujets, du prince et de son domaine naturel. Tel est le naturel de la monarchie.

Cette thèse conduit La Mothe Le Vayer à prendre position, dans d'autres essais, sur une gamme de questions qui précisent sa pensée et révèlent comment l'exercice du scepticisme est un exercice de vigilance politique.

Trois applications rhétoriques: les animaux, les supplices, les monstres.

Apparemment disjointes, ces trois questions filent un thème commun: comment juger de la nature humaine et l'évaluer dans ce qui diffère d'elle? Les rapports de l'humain à l'animal, de l'homme moral au criminel et de l'homme à son semblant forment ainsi une argumentation sur la question du naturel et du différent. Pour présenter une œuvre parpillée, l'essayiste sceptique n'en poursuit pas

[12] *Ibid.*, 102=328.

moins une méditation politique dont l'ironie et le mordant savent faire oublier les érudits repeints des citations, qui lassent un peu.

En ce sens le sceptique est déjà un sophiste, un maître en politique. Nous y reviendrons.

L'action royale par excellence, celle où s'incarne la vertu du monarque, bref par quoi s'exprime et se met en œuvre ce que le philonisme monarchique nomme la symphonie politique[13], n'est-ce pas la Justice? La Mothe Le Vayer lui consacre, appariée à la gestion des fonds publics (les Finances) et à la conduite de la politique étrangère (les Armes), une partie de son préambule à l'*Instruction*. Divisant la justice en actes de libéralité et en actes de punition, La Mothe Le Vayer en vient aussitôt à qualifier l'"inhumanité" de certains princes: si l'excès de sévérité dans la punition des crimes obère le droit naturel, c'est qu'il pervertit la nature des relations politiques et transforme les sujets en animaux. Si, de nouveau, La Mothe Le Vayer a recours à des exemples exotiques ou appartenant à l'histoire noire de l'Antiquité (Montezuma et Tibère en sont les emblèmes), c'est pour mettre l'accent sur la dégradation qui menace toujours une monarchie chrétienne – et donner, *sotto voce*, une critique de son temps. Tel, Don Carlos, fils de Philippe II, prenait plaisir à "voir palpiter de petits lapins" qu'il étranglait de ses propres mains:

> Et je pense qu'on y peut joindre ce qu'un autre songe fit faire à nôtre Henry Troisième, qui voulut qu'on arquebusat des Lions qu'il nourrissoit, dont il lui avoit semblé en dormant qu'il étoit déchiré; parce que de la cruauté envers les bêtes, on passe aisément à celle qui va contre les hommes[14].

Remarque capitale: si la longue chaîne des êtres vivants est une, de maillon en maillon, le gouvernement des hommes dans une monarchie exige que la maîtrise abusive de l'homme sur l'animal ne puisse être répétée dans l'abus de pouvoir exercé par un homme, le prince, sur d'autres hommes. Telle est la cause du mépris que ressent La Mothe Le Vayer envers la doctrine de l'animal machine. La Mothe La Vayer et La Fontaine perçoivent, par des voies différentes, le danger qu'il y a, pour une culture, à nier l'encyclie du vivant:

---

[13] Sur le philonisme royal voir mon *Culte de la voix*, IV.

[14] La Mothe Le Vayer, *op. cit.*, 31=45.

c'est le fond de leur libertinage, leur rhétorique est, *stricto sensu*, une *écologie*.

Et pour signer, d'un trait d'esprit, à quel point le contrat naturel entre le prince et les hommes doit sans cesse magnifier et amplifier l'unité du vivant, La Mothe Le Vayer ajoute: "Le Dauphin est le seul <animal> qui n'a point de fiel!". Dans la *Lettre XLII*, ce fiel de justice est qualifié: le supplice. Si la punition est nécessaire en ce que "la peine regarde bien plus l'avenir que le passé, qui est irremediable", il en va autrement des tortures qui souvent l'accompagne:

> Quant au genre du supplice, que vous trouvés si rigoureux, j'abomine aussi bien que vous ces Esprits ingenieux à rendre la mort plus sensible[15].

Les tonneaux cloutés , les cadavres garrottés aux vivants, les statues brûlantes sont autant de techniques d'exhibition outrée de la justice qui abusent le naturel des sujets, lesquels satisfont leurs sens extérieurs par le spectacle des souffrances et affichent ainsi des passions similaires dans leur folle intensité à celles qui ont mené le supplicié à sa fin cruellement – l'épithète est de La Mothe Le Vayer – "sensible". Tel est le fiel de la fausse justice: rompre de nouveau, mais entre les sujets cette fois, le rapport naturel qui devrait, en dépit du crime, se maintenir entre eux, et ne pas agiter chez les gens de bien des passions criminelles par procuration. L'argument de La Mothe Le Vayer contre les supplices serait à redéployer sur une théorie des peines car le supplice est naturellement *incivil*, pour les rapports entre citoyens. Le supplice est avant tout une corruption des rapports entre citoyens.

Cette logique conduit La Mothe Le Vayer à traiter de la question des monstres, dans le septième *Opuscule*[16]. Trace anagrammatique ou non, le fait est que les monstres sortent, rapporte La Mothe, du Dauphiné. Exercice sceptique que cet opuscule. Méditation cependant sur la monstruosité. Les monstres du Dauphiné, fruits d'un "accouplement illicite", représentent le croisement de l'homme et de l'animal. La Mothe Le Vayer aligne une série d'exemples tirés de l'Antiquité (amours de gardiens et de juments)

---

[15] *Ibid.*, 436=282.
[16] *Ibid.*, 487-492=165-169.

ou de l'Orient (sourions: le pékinois et la Pékinoise...), en tirant cette conclusion qu'ils illustrent le fait que des animaux produits par la Nature (bref hors de ces hypothétiques "copulations") le sont à l'image de l'homme: phoque, poisson, singe de Cochinchine, d'Afrique ou des Indes, ce sont là des monstres dans la mesure où l'imagination humaine croit y reconnaître ses propres caractères:

> Et par consequent les Sauvages de Dauphiné pour être chevre-pieds, ou de quelque autre structure corporelle aussi extarordinaire, ne laissent pas d'être hommes s'ils ont l'usage de la raison, d'où dépend la forme humaine[17].

Mais tel n'est pas le cas. Les paysans du Dauphiné, qui ont rameutés ces monstres, les ont pris pour des hommes pour – laisse entendre La Mothe Le Vayer – avoir laissé de côté le critère principal: la raison qui "forme" l'humanité. A la forme extérieure, sujette à caution et à illusion, réplique la forme véritable, cette information intérieure de la raison.

Appliquée à la formation princière, cette parabole fournit les linéaments d'un sévère avertissement lancé par le précepteur de Louis XIV et de Monsieur à ses royaux élèves: il existe des princes "pour l'imagination", en qui leurs sujets croient reconnaître les signes du Monarque, un "portrait du roi", alors que ce ne sont que des monstres politiques. Il est par contre des princes – bref, toute forme du souverain – qui se forment de l'intérieur. Les premiers sont des parodies de la Nature, les seconds sa parfaite représentation. Le souverain naturel l'est uniquement pour soi et le faux souverain est celui qui n'est souverain que pour autrui. Ainsi, dans une société raisonnable et naturelle, La Mothe La Vayer exige de ceux qui redoutent un retour au chaos politique du XVIe siècle, relisant et pesant, comme en témoignent ses notes marginales, l'*Histoire* du Président de Thou, de ne pas se comporter en paysans du Dauphiné. Le scepticisme parvient à prendre, par le biais, une stature politique et, plaidant pour l'autonomie, formule une approximation de la *civilité*.

---

[17] *Ibid.*, 491=180.

CHAPITRE QUATRE

Sur l'incivilité littéraire

> Monsieur –, Ce que vous m'écrivés est très vrai, qu'il y a une science Polemique & guerriere, où l'on emploie que la langue pour toutes armes, & où les ruses & la mine hardie triomphent quelquefois contre toute raison[1].

C'est ainsi que La Mothe Le Vayer ouvre une lettre intitulée *De la dispute*. On ne peut pas poser plus clairement, à travers la question de la polémique, celle de la politique intellectuelle au Grand Siècle.

Soit, il faudrait retrouver l'identité de son correspondant. Un savant certainement, qui aide à introduire en français un hellénisme, bientôt recueilli par les dictionnaires, l'épithète "polémique", dont le substantif reste cependant "l'éristique" (et pas encore "la polémique").

Mais c'est surtout une scène de polémique au "pays latin", une bataille entre humanistes, que La Mothe Le Vayer saisit sur le vif et démonte avec une vengeresse cocasserie:

> Le commencement fut comme une petite escarmouche, & une légere velitation; aussi se passa-t-elle entre deux jeunes hommes, dont l'un pressé par un argument, qu'il ne pouvoit soudre, se contenta de répondre avec assez de louable ingénuité, que selon Aristote même l'on ne devoit pas abandonner une bonne opinion, encore qu'on ne pût répondre sur le champ à de certaines objections, qui surprennent [...] Aprés un si paisible procedé, nous fûmes étonnés de voir se présenter sur les rangs vôtre inflexible et inébranlable Milon, se plaignant qu'on abandonnoit la meilleure

[1] La Mothe Le Vayer, *Lettre CXIII. D'une dispute, in Œuvres*, II, 645=VII/1, 257.

> cause du monde [...] l'on vit aussitôt deux partis formés, n'y aiant presque personne, qui demeurât neutre depuis cela. Représentés-vous donc, qu'il se fit en un instant la plus tumultueuse contestation, qu'on se puisse imaginer [...] Le bon est, que l'un & l'autre Tenant ne songeant presque plus qu'à se dire les plus outrageuses & vilaines paroles [...] se faisoient des demandes de si peu de rapport à la question proposée [...] qu'ils ne se souvenoient plus du théme[2].

La "contestation" finit sur une gifle, qui "mit les choses à la derniere confusion"[3].

L'importance de cette lettre est double: La Mothe Le Vayer veut décrire, comme citoyen de la République des Lettres, un type de comportement intellectuel qui engage, par delà ses traits comiques, un mode de fonctionnement de la communauté intellectuelle. Il dévoile une méthode de contestation dont les étapes sont délibérément marquées: confrontation de deux arguments dont l'un est une opinion paradoxale, arrêt de la controverse (le défenseur du paradoxe demande un répit pour préparer une réponse), reprise de la confrontation par deux suppléants, polémique générale. Il est clair que la dispute, en termes aristotéliciens, passe par deux phases: la première qui relève de la dialectique, telle que les *Topiques* en donnent la formule; la seconde verse soudain dans l'éristique, dans un type de réfutation où, pour citer Aristote, les contestants "argumentent jusqu'à la mort" – ici, le petit assassinat social de la gifle.

La polémique ressortit ainsi à deux genres sociaux et rhétoriques distincts: elle s'enracine dans la logique et déborde dans la violence polémique. Le passage de l'une à l'autre s'opère par un désir que La Mothe Le Vayer analyse avec beaucoup d'acuité: triompher, même en apparence, et tous savent que les victoires (parlons comme Aristote) sophistiques ne sont que d'apparentes victoires. La Mothe Le Vayer, dans cette analyse d'une dispute, montre bien qu'une polémique fonctionne par à coups: arrêt sur manque d'argument, second arrêt sur "un échauffé" qui monopolise la parole, arrêts constants des polémiqueurs qui s'ôtent la parole les uns aux autres, arrêt final par la violence physique.

---

2 *Ibid.*, 645-6=257-9.

3 *Ibid.*, 646=260.

Le discours se dégrade, la parole se défait et, à fur et à mesure que la (bonne – Aristote encore) rhétorique argumentative perd pied, La Mothe Le Vayer note que "des choses de néant sembloient devenir importantes par la chaleur"[4]. La distance entre les *res* et les *uerba* creusant un écart toujours grandissant, la polémique fonctionne comme une caricature de rhétorique: l'invention y est réduite à "l'absurdité" répétitive, à l'ineptie des questions, la disposition à l'"embrouillage" des arguments, l'élocution à "extorquer des injures" plutôt que de supporter le silence des adversaires. La dispute propulse au premier plan l'*actio*: une sorte de montée du volume sonore qui se résoud soudain par cette caricature de l'éloquence du geste, la gifle. Geste qui respecte au demeurant l'*aptum* de la dispute: la gifle reste la juste expression des passions suscitées par la controverse. La polémique serait donc un plaisir pris à la violence de la parole.

Elle semble ainsi à La Mothe Le Vayer inadaptée aux mœurs intellectuelles, déraisonnable mais surtout incivile car, pour rappeler un des critères mis en avant par N. Elias dans le *civilizing process*, elle faillit à sa fonction symbolique: remplacer et déplacer la violence réelle. La seule attitude possible, pour un disciple de la Divine Sceptique, face à une telle dispute, c'est d'éclater de rire, seule réplique, vocale, hors du *logos* – discours et raison –, à la déraison de la violence oratoire. La Mothe Le Vayer en rit, nous le savons, mais d'un "rire Abdéritain"[5]. Rire philosophique par lequel l'ami des frères Dupuys souligne que, simplement, l'éloquence ne peut pas toujours suffire à résoudre, entre intellectuels, les conflits d'idées.

Or, à l'évidence, La Mothe Le Vayer décrit une polémique orale: cette *Lettre CXIII. D'une Dispute* donne, dans le domaine oral, celui de la vive voix, l'abrégé ou le modèle des polémiques écrites. La polémique écrite continuerait ou suppléerait, comme la diplomatie la guerre, la polémique orale par d'autres moyens. Partant d'une situation réelle dans la mesure où elle exprime un état de culture où l'*orality* domine encore, des contestants s'essayant à résoudre, de vive voix, dans l'immédiateté d'un face à face, des problèmes qui relèvent de l'exercice muet ou livresque de la rai-

---

4 *Id.*

5 La Mothe Le Vayer, *Prose chagrine*, I, 541=III/1, 384.

son, La Mothe Le Vayer accuse les traits d'une transition culturelle: lucidement, il tente de délimiter les contours d'une esthétique de la polémique écrite.

Est-il donc possible d'éviter les pièges de la polémique orale et, en en ayant pris congé sur un éclat de rire, de s'atteler aux affaires plus sérieuses de la polémique écrite, dont il s'agit maintenant de proposer un modèle? Comment exprimer les différences d'opinion et les couler dans un style littéraire qui, du même coup, contribue à régler les rapports entre gens de lettres, entre intellectuels – pour user de nouveau d'un anachronisme?

On peut aller chercher un premier élément de cette "anatomie de la polémique" qu'entreprend, au fil de ces *Lettres et de ses Traités*, La Mothe Le Vayer, dans une autre lettre, celle intitulée *De la Diversité des sentimens*:

> Monsieur, – Vous trouverés moins étrange ces contestations pleines d'animosité, qui causent aujourd'hui de si grands vacarmes par tout, quand vous saurés, que nôtre Siècle produit des hommes, qui n'ont de commun avec les autres, que la figure exterieure, tout le dedans étant d'une conformation différente[6].

La Mothe Le Vayer prend pour exemple de cette tromperie des apparences, un assassin dont la dissection du cadavre révèle que ses organes sont arrangés à l'envers. Bref, un monstre physique dont les actions criminelles ont constitué l'actualisation, l'énergie au sens précis de ce terme.

La comparaison est évidemment acérée, elle reprend une de ces paraboles du monstrueux et du naturel dont, comme on l'a vu, La Mothe Le Vayer use par raisonnement analogique: la diversité des opinions se ramène non seulement à des oppositions de tempéraments, que l'exercice de la raison ne parvient pas à neutraliser, mais encore à des incompatibilités physiologiques qui expliquent la violence des "antipathies" (comme exemple, La Mothe la Vayer cite souvent celle de Cardan et de Scaliger). A suivre l'analogie, le goût de la dispute, l'inclination à polémiquer contre tel adversaire plutôt que tel autre, à choisir plus son antagoniste que le sujet de la dispute, ressortit à une monstruosité de la nature humaine.

---

[6] La Mothe Le Vayer, *Lettre LXIII. De la diversité des sentimens*, II, 505=VI/2, 107-8.

Cette explication quasiment déterministe de l'esprit polémique, La Mothe Le Vayer l'étend alors au delà des relations intellectuelles, des débats d'idées: il note que le mot de *Quirites* a donné *gridare* en italien et *crier* en français[7]. Leçon? La société civile crie, elle est polémique par essence, et la République des Lettres ne saurait échapper à ce qui en est une règle de constitution, le coup de gueule:

> C'est de ce principe, que procedent les contentions si extrèmes & si implacables, que nous voions tantôt au fait de la Théologie, tantôt au sujet de la Politique[8].

En mettant la raison au carreau de la physiologie, La Mothe Le Vayer publie une sorte d'avertissement: comment, dans le domaine des Belles Lettres, éviter cette règle du "cri", comment contrebattre cette monstruosité qu'est la polémique, comment faire en sorte que la controverse nous désabuse des préjugés?

Afin de marquer l'importance de cette question pour la communauté littéraire La Mothe Le Vayer consacre la première de ses *Homilies académiques* aux *Disputes opiniâtres* (1665): il s'adresse au lecteur, au lecteur de la République des Lettres, c'est une "exhortation"

> à fuir toutes ces disputes pleines d'animosité, où presque tout le monde se laisse insensiblement emporter, le plus souvent sans savoir pourquoi, & quasi toûjours n'étant pas suffisamment informé de ce qu'il entreprend de soûtenir[9].

Notation banale, que La Mothe Le Vayer, selon sa manière de procéder, étaie aussitôt d'une triple référence à saint Augustin (sur l'humilité de la raison), à Socrate (reconnaître ne pas savoir) et, voilée, à Descartes (contre la prévention d'esprit)[10], convoquant ainsi les sagesses chrétienne, païenne et moderne. Les intellectuels, les gens de lettres, devraient posséder le courage de l'indécision ou celui du silence car ne jamais se dédire ou vouloir toujours parler, tels sont les ressorts de la polémique. C'est là ramener la parole

---

[7] *Ibid.*, 507=116.
[8] *Id.*
[9] La Mothe Le Vayer, *Premiere homilie académique. Sur les disputes opiniâtres*, I, 573=III/2, 5.
[10] *Ibid.*, 573=6-7.

savante en arrière, sur les bancs du collège "où la jeunesse est portée à parler toûjours, en quelque défaut de raisons qu'elle se puisse trouver"[11]. L'imitation adulte, née de la confrontation des opinions, régresse dans ce scénario-là vers ce que toute l'imitation scolaire s'évertue, par la discipline de l'éloquence, à oblitérer: la parole oiseuse. La polémique adulte restore l'argutie sans *ethos* des querelles enfantines, l'extrême incivilité des enfants[12].

La Mothe Le Vayer propose ainsi une distinction sémantique, et sociale, entre la "conférence", dont le but est de "découvrir la vérité des choses", et la contestation – estudiantine. La conférence admet et encourage "l'incertitude d'esprit", la contestation, par excès de certitude, verse dans l'injure, blessures de parole mais enfin blessures infligées aux rapports intellectuels.

La contestation s'accompagne en effet souvent d'un faussement de l'éloquence démonstrative: deux lettres, *De la modération d'esprit* et *De la chicane et des loüanges*[13], éclairent ce point. De fait, note La Mothe Le Vayer, l'esprit de polémique s'alimente d'un mode particulier des relations littéraires, la flatterie. La rhétorique épidictique, dont La Mothe Le Vayer énonce ironiquement les variétés savantes à l'usage collégial (les épithètes "Grand, Divin" mis à toutes les sauces; l'apothéose; la paranymphe), ne saurait s'adresser qu'aux morts ("quand leur vertu ne peut plus produire la moindre ombre d'envie"[14]...est-il optimiste?); et, quand il faut sacrifier à ses contemporains, c'est au prix d'une réticence que peu savent supporter (il est possible que La Mothe Le Vayer fasse allusion à Guez de Balzac lorsqu'il écrit ceci: "Vous en connoissiés un décedé depuis peu [...] qui se fut offensé d'être autrement loué qu'avec les termes superlatifs")[15]. La louange alimente, par des "méches & des allumettes", l'arrogance des antagonistes.

Il faut donc se demander dans quelle mesure La Mothe Le Vayer ne tente pas de définir du même geste le genre de l'éloge académi-

---

11 *Ibid.*, 573=8.

12 Sur ce point voir Eugene Garver, *Aristotle's Rhetoric. An Art of Character*, Chicago/Londres, University of Chicago Press, 1994.

13 *Lettre LXIV. De la modération d'esprit*, II, 507-9=VI/2, 117-123; *Lettre CIX. De la chicane et des loüanges, II, 635-7=VII/1, 215-224.*

14 *Lettre CIX*, 636-7=221-2.

15 *Ibid.*, 637=223.

que, éloge d'une ombre, qui contribuerait à régler les relations des morts et des vivants, bref des Immortels, au sein du groupe exemplaire du champ littéraire, l'Académie: le *Discours de réception* de La Bruyère ne provoqua-t-il pas de violentes réactions dans la mesure où il affichait un style polémique? En ce sens Fontenelle aura raison, emboîtant le pas à l'auteur de *De la modération d'esprit*, contre celui des *Caractères*: se retenir de louer, règle d'or des relations intellectuelles.

Mais La Mothe Le Vayer rappelle, avec lucidité, que l'invective, autre versant de l'éloquence démonstrative, trouve son stimulant dans la louange: l'une ne va pas sans l'autre. L'invective peut ainsi adopter une forme plus pernicieuse car dogmatique, la "censure". Il signale, dans cette *Lettre CX*, que le mécanisme de la censure opère telle une réprobation généralisée qui par son incontrôlable violence et ses sophismes introduit l'esprit de polémique au cœur même de l'érudition:

> J'ai remarqué une injustice dans beaucoup d'esprits de la plus haute classe, dont je n'ai pas moins d'aversion. C'est que s'ils entreprennent de refuter quelque ouvrage, non contens d'y reprendre ce qui peut raisonnablement recevoir la correction, ils le censurent sur tout, & veulent que son Auteur ait commis autant de fautes que son livre a de paroles[16].

La Mothe Le Vayer envisage ainsi un style de censure qui permette à la "civilité" et à l' "humanité" de la République des Lettres de trouver son étiage polémique[17]: il convient de critiquer la critique, de lui donner des limites, humaines, de "correction".

Cet idéal d'*humanitas* est décidément cicéronien. Lentement les relations littéraires – c'est cela qui est en jeu dans la contestation – doivent adopter des modes de comportement et d'écriture qui mettent de côté tout un pan de la rhétorique civile. Laissez les cris à la porte, Messieurs.

Un bon exemple de "correction" serait à trouver dans les quatre lettres[18] que La Mothe Le Vayer consacre à la préface des *Remar-*

---

[16] *Lettre CX. De la censure des livres*, II, 637=VI/1, 225.

[17] *Ibid.*, 638=229. Sur cette question de l'*humanitas*, je renvoie à l'étude consacrée par Christian Mouchel à "Paul Manuce épistolier. Grandeur et misère de l'écrivain cicéronien".

[18] La Mothe Le Vayer, *Des nouvelles remarques sur la langue française. Lettres LVII-LX*, II, 478-496=VI/2, 1-71.

ques de Vaugelas (1647), où le grammairien critiquait ses *Considérations sur l'éloquence française* (1637). Dans la *Lettre LVII* La Mothe Le Vayer, sur un ton enjoué, souligne sa réticence à "entretenir sur un sujet, pour lequel je commence à ressentir, je ne sçai quelle aversion"[19], avant de procéder à une défense du fond de son sujet (que l'usage est en effet la règle); ce n'est que sur les instances de son correspondant qu'il établit, dans la *Lettre LVIII*, une liste des erreurs commises, contre l'usage, par Vaugelas: il lui reproche de faillir à son propre critère, avant de conclure sur cette raillerie:

> Mais vous ne devés pas avoir trouvé mal plaisant, qu'il appuie toute sa regle sur l'autorité des femmes, qu'il a consultées là dessus, & qui sont toutes de son avis. Sans doute qu'elles devoient être alors dans le dégout ordinaire à celles de leur sexe. S'il eût retardé sept ou huit jours à leur proposer sa question, il les eût trouvées d'un autre sentiment[20].

Sarcasme peut-être (relisons Bayle, entre les lignes, pour saisir tout le sel de l'anecdote), mais dans le droit fil du déterminisme physiologique décrit plus haut. Dans la *Lettre LIX* La Mothe Le Vayer affirme alors poursuivre "contre son genie" la correction qu'il inflige à Vaugelas, jusqu'à ce que "le papier manque"[21], mais il aura eu la place auparavant de louer Vaugelas pour l'excellence de son style *didactique*: flèche du Parthe, qui fiche Vaugelas dans le genre rhétorique le plus mineur, le moins adulte, le plus scolaire ... La dernière des quatre lettres opère enfin une retraite stratégique, définitive: La Mothe Le Vayer renvoie la controverse à la diversité des opinions "touchant l'art de bien dire"[22], bref à la confusion des disputes.

Or, pour mener cette polémique si publique, La Mothe Le Vayer a choisi un genre particulier, la lettre à un ami, lequel impose un certain ton, un certain rythme, une certaine distance aussi et un mode enjoué qui lui permettent de saisir son sujet sous différents angles, laissant à son correspondant le soin de relire ou de refermer, ou de mettre au panier, les *Remarques* de Vaugelas. Il use d'une technique similaire, un essai cette fois, dans son *Discours*

---

[19] *Lettre LVII*, 478=2.
[20] *Lettre LVIII*, 486=33.
[21] *Lettre LIX*, 491=54.
[22] *Lettre LX*, 495=70.

sceptique sur la musique du Père Mersenne[23]. Corriger par petites touches, par incidentes, par éclairages inattendus revient à une transformation rhétorique de ce qui, autrement, reste la marque négative de l'éristique, cette rapidité abusive, cette façon violente de passer sur les détails qui caractérise les polémistes:

> L'on se contente souvent de dire avec un dégoût fastueux, qu'un livre déplait sans pouvoir dire pourquoi, & nôtre injustice est si grande que nous defendons ces jugemens téméraires avec plus d'opiniâtreté, que si nous les avions faits avec connoissance[24].

Or, cet idéal d'humanité littéraire, une "Pallas armée"[25], La Mothe Le Vayer lentement le façonne selon l'idéal sceptique: il plaide pour la "soupplesse accommodante & variante" du scepticisme contre le dogmatisme, polémique par essence, dont l'exemple parfait reste Vaugelas dont l'oppression menace la langue française, idéal instrument de souplesse.

La Divine Sceptique aiderait ainsi à formuler une esthétique de la polémique écrite entre intellectuels. La Mothe Le Vayer précise cette position, qui se veut une modération des mœurs littéraires et savantes, dans sa belle *Prose chagrine* (1661)[26].

Se retirant du Monde, à soixante-treize ans, l'humaniste, le courtisan et l'académicien, le grand commis de l'Etat se retourne et jette un long regard sur quarante ans de vie intellectuelle: terrible réquisitoire contre les illusions de la République des Lettres! La *Seconde partie* est presque entièrement consacrée à son vice, la polémique: La Mothe Le Vayer y rappelle sa filiation antique, l'école de Mégare et l'éristique, ressuscitées par certains Modernes, ces *contradictionis, ac rixarum studiosissimi*[27]. Or, l'éristique s'articule précisément au discours dogmatique. La Mothe Le Vayer brosse une seconde scène de comédie, une dispute où un savant "fanfaron", "pointilleux", "impertinent", procède d'affirmation en affirmation, de sophisme en sophisme, avant de recourir, à court d'argument, à l'arme dogmatique la plus dangereuse

---

23 La Mothe Le Vayer, *Discours sceptique sur la musique au R.P. Mersenne*, II, 240-251=V/2, 79-122.
24 *Lettre CX*, II, 638-9=VII/1, 229-230.
25 *Ibid.*, 639=231.
26 *Prose chagrine*, I, 505-542=III/1, 241-386.
27 *Ibid.*, 520=299.

qui soit, le recours à la Foi, “embrasser les Autels”[28]. La rhétorique éristique, faussement dialectique, a pour butée l’appel à l’autorité laquelle est d’autant plus sophistique, dans l’ordre du discours, et d’autant plus périlleuse, dans l’ordre politique, qu’elle est nécessairement ouverte à interprétation. La Mothe Le Vayer résume ainsi la situation quasiment structurale illustrée dans les *Provinciales*.

Un seul remède à cette farce, la suspension du jugement par l’activation des dix modes d’ambigüité: le refus de trancher constitue la seule véritable critique des opinions. Le scepticisme, La Mothe Le Vayer lui donne son rang dans *De la vertu des payens* (1624): les modes sceptiques permettent de poser, calmement, face à face les arguments, en laissant à chacun le soin certes, mais surtout le risque, de choisir, au delà de cette “ignorance raisonnable & discourüe” qu’il recommande[29]. Le calme est la passion sceptique, s’il y en a une, une manière de retraite, de *recessus* intérieurs. Tel est l’enjeu de lecture de la polémique écrite: mettre en pratique une distance, une suspension de la pensée dans le suspens de la voix, que la polémique orale rend quasiment impossible tant on peut prendre jouissance au bruit de la discussion, aux coups de gueule, au son de sa propre voix.

Car, de cet idéal moral, il découle une esthétique des débats d’idées et des mœurs intellectuelles. La Mothe Le Vayer oppose deux styles critiques, deux Idées à la Hermogène, la “véhémence”, propre à la polémique, la souplesse de la Divine Sceptique. Or cette opposition de style recouvre une mutation culturelle: le lieu littéraire n’est plus l’échange oral, l’altercation de vive voix, mais l’écrit et l’imprimé. Si la polémique éristique n’est qu’un “flus de bouche”[30], une diarrhée verbale, l’éloquence sceptique confie à la “prose” – pas toujours chagrine –, à la lettre, au petit traité, à l’opuscule, aux formes brèves de l’essai, le soin de reprendre les discussions, le souci de “s’interroger” dans le silence du cabinet, quiétude favorable à l’ataraxie des opinions et à la “métriopathie” – le calme des passions[31]. La Mothe Le Vayer, qui récuse également

[28] *Ibid.*, 520-521=229-304.

[29] La Mothe Le Vayer, *De la vertu des payens*, II, 119-219=V/1, 1-400, surtout *De Pyrrhon*, 190-6=285-310.

[30] *Prose chagrine,* 524=136.

[31] *De Pyrrhon*, 191=288-9 et *Prose chagrine*, 525=319.

la valeur savante et mondaine des exercices oraux, comme la récitation des œuvres littéraires, propose un modèle polémique plus subtil et moins vocal, l'essai sceptique[32]. Par sa souplesse de style et de composition, par le hasard qui préside à l'écriture, l'essai vraiment rivalise avec la vive voix et la sublime dans des "proses parlantes": "libre & negligée" l'éloquence de la prose sceptique réussit à ressaisir la vitalité de l'échange oral, en en éliminant les effets fallacieux, assignables soit à des sophismes, dans l'argumentation, soit aux abus, que l'on veut efficaces, de l'*actio* (l'*actio* est le dernier recours de l'efficacité d'un discours).

La *Prose chagrine* se refermera sur un véritable renversement de perspective: ayant démontré les incertitudes de la polémique orale, et établi le style sceptique, sublimé de l'oral, La Mothe Le Vayer conclut sur une catharsis littéraire. Le chagrin a passé, il faut maintenant rire de ce "rire Abdéritain". L'essai sceptique serait une retraite de la voix dans l'écriture, seulement signalé par un rire – un sourire de jubilation.

A ce point de la recherche d'une esthétique sceptique des relations intellectuelles – une véritable politique -, il est clair que le discours sceptique opère une révaluation de l'esprit polémique. La sceptique est le véritable art polémique car elle met en question le style même des contestations littéraires et savantes. Dans son *Homilie academique. Des Auteurs*[33] La Mothe Le Vayer souligne en effet que, si la plupart des ouvrages ont pour but de "brouiller les choses, & jetter du sable aux yeux des crédules", en bref repoussent au deuxième plan la richesse de l'invention en en masquant la débilité par celle de l'élocution, technique de "frivolité", la sceptique en donne le "remède", en procédant non pas à une réfutation livre à livre mais en posant, d'emblée, la nécessité du scepticisme. La Mothe Le Vayer, et c'est là véritablement un tour *polémique*, compare les auteurs qui censurent d'autres auteurs – par là même assurant la circulation des livres et l'alimentation du marché des biens

---

32 La Mothe Le Vayer, *Opuscules ou petits traitez. IV. Du bon et mauvais usage des recitations*, I, 333-6=II/2, 347-359. Sur cette question de la lecture, et du passage d'une culture vocale à une culture de l'imprimé, voir mon *Culte de la voix*.

33 *Vingt-deuxième homilie académique. Des auteurs*, I, 656-661=III/2, 347-359.

intellectuels (qu'il compare justement au négoce des vins) – à des "châtreux" qui se "mutilent" les uns les autres[34].

La polémique sceptique, polémique en retrait, polémique négligée, fait ainsi de l'"ironie" une arme de dessaisissement et d'assainissement du champ littéraire: l'ironie n'est plus une simple figure d'élocution, que l'on peut outrer, c'est le suc même de la rhétorique sceptique et, plus largement, de la société civile des gens de lettres. Rien, à cet égard, de plus étranger à l'ironie que l'excès de politesse, marque d'une urbanité frelatée: "La grande politesse, écrit La Mothe Le Vayer, affoiblit souvent la matiére qu'on emploie"[35]. La politesse n'est qu'un travestissement de la véritable humanité littéraire, qui assume, La Mothe Le Vayer y revient sans cesse, un devoir de raillerie ou de "gausserie" dont il a soin de rappeler qu'elle n'est pas exempte de *gaudium*, d'une certaine joie. L'urbanité littéraire est un *gay saber*[36].

C'est de ce point de vue que La Mothe Le Vayer juge donc, dans les *Observations diverses sur la composition & sur la lecture des livres* (1668), les conséquences polémiques du développement du livre au XVIIe siècle[37]: la littérature moderne serait une production "journellement" reconduite grâce à l'intérêt de lecture que nourrissent les polémiques. La polémique autour des livres savants fonctionne sur l'exaspération de cette figure particulière d'élocution, l'ironie, et sur la dépréciation parallèle de l'*inventio* (il faudrait relire ici l'essai sur les plagiaires)[38]. Double stratégie qui sert à "faire rouler la presse"[39] et qui nourrit une sorte de plaisir pervers, la "gloire" d'être "publié", mais qui porte avec elle sa propre défaite: elle engendre une désaffection croissante du public éclairé pour les cabales d'experts et favorise, par contre coup, l'essor de la

---

[34] *Ibid.*, 659 et 660=354 et 355.

[35] *Ibid.*, 657 et 660=343 et 358.

[36] Sur cet idéal de vie, voir le volume collectif *Le loisir lettré à l'Age Classique*, sous la direction de M. Fumaroli, Ph.-J. Salazar et E. Bury, Genève, Droz (coll. "Travaux du Grand Siècle", 4), 1996.

[37] La Mothe Le Vayer, *Observations diverses sur la composition et la lecture des livres*, I, 296-314=II/1, 319-391.

[38] *Vingt-troisième homilie académique. Contre les plagiaires*, I, 661-5=III/2, 359-375.

[39] Belle expression ... *Observations diverses*, 307=361.

lecture des romans. Il en résulte donc, d'autre part, "cette grande multitude de livres qu'on voit accumulez en tant de lieux"[40].

Telle est, lucidement analysée par La Mothe Le Vayer, la source véritable de la confusion entre les deux bibliothèques rivales, celle des Belles Lettres (les "Idées"), celle de la Littérature: les lecteurs de la première animent leur plaisir critique par des passions que seule la lecture de la deuxième bibliothèque est censée attiser. La polémique, appliquée aux Belles Lettres (telles que La Mothe Le Vayer en dresse une bibliothèque idéale), revient à introduire dans la lecture savante un registre de passions et de comportements mieux adaptés à la lecture et à la "critique" des romans. Le cercle de la "confusion" et du "nombre innombrable"[41] des livres se referme sur lui-même lorsque les techniques polémiques, celles que récuse La Mothe Le Vayer, traversent une sorte d'horizon culturel et psychologique, et occupent le terrain de la littérature moderne, donnant à la critique, telle que nous la connaissons toujours, son mode d'existence – un stock de commodités, pour parler en sociologue.

La Mothe Le Vayer se situerait donc à l'articulation de deux modes d'existence de la civilité littéraire, et de la politique littéraire, comme il se situe à la frontière de deux modes culturels, oral et écrit, de la rhétorique – position dont il tire les conséquences. Le vrai libertinage de ce sceptique le rend capable de démonter une des naissances de la littérature et lui donne le courage de poursuivre le véritable plaisir de l'homme de lettres, confronter opinions et styles, et s'émerveiller de sa propre souplesse sans préjuger de celle de son lecteur. Il y a là une civilité et une liberté d'esprit que La Mothe Le Vayer hérite de Montaigne et transmet à Voltaire, à Chateaubriand, à Gide. Elle souhaite voir prendre forme une éthique de la communauté intellectuelle.

---

40 *Ibid.*, 310=361.
41 *Ibid.*, 314=389.

CHAPITRE CINQ

Le commerce de l'esprit

La Mothe Le Vayer appartient à un univers moral où la réflexion politique, la méditation sur les fins de l'existence et la contemplation des inepties et des fatuités qui façonnent la vie civile imposent à la culture des esprits, pour reprendre la belle formule du P. Possevino[1], au savoir comme nous dirions aujourd'hui, l'évaluation des limites de l'action et des contraintes imposées à la liberté. Au sein des rapports intellectuels se développe ainsi une autre communauté d'esprit, une *societas* littéraire qui s'articule sur la passion de savoir, et la passion pour les acteurs du savoir. Tout y est pénétré de présence. Le savoir qui prend encore forme humaniste au XVIIe siècle et qui, souvent, aide à la mise en forme du nouvel esprit scientifique ne circula-t-il pas souvent parce que ces hommes de l'esprit pratiquaient le seul amour du savoir qui compte – aimer ceux qui savent?

La polémique et sa passion rectrice, la haine de ceux qui savent, ne se conçoit que par obfuscation de l'amitié, dont elle est le *monstre*. La Mothe Le Vayer, comme tant d'autres, a fait sienne la formule de Cicéron: "Solem enim e mundo uidentur qui amicitiam a uita tollunt"[2].

---

1 Antonii Possevini [...] *Cultura ingeniorum* (7e éd.), Coloniæ Agrippinæ, apud Ioannem Gymnicum, 1610.

2 Cicéron, *On Friendship & The Dream of Scipio*, éd., trad. anglaise et commentaires par J.G.F. Powell, Warminster, Aris & Phillips, 1990, 50-51. La Mothe La Mothe Le Vayer traduit ainsi, en ouverture de son *Opuscule* sur l'amitié: "Je croiois que c'étoit ôter le Soleil du Monde que d'en bannir l'Amitié" (128=348) La Mothe Le Vayer usera d'une expression similaire: "non plus que de belles journées <ne se goûtent> sans la lumiére du Soleil, que ceux-là semblent ôter du Monde, selon la pensée d'un Ancien, qui en banissent l'amitié" *(Homilie*, 191=619). Thomas Browne dit la même chose dans sa

Les termes classiques, connus des humanistes du XVIIe, pour décrire l'amitié – *philia ou amicitia*[3] – rendent mieux compte que ne le disent les vernaculaires du sentiment de communauté spirituelle, de lien spirituel comme on parle en sociologie du lien social (et, à mon sens, ces deux liens nouent la ligature du projet démocratique chez les penseurs des Lumières), cet amour d'amitié largement partagé entre hommes de savoir. J'avance ici aussi cette thèse que, en dépit de ce qu'affirme Michel Foucault, un *ars amoris* masculin a bien existé au cœur de l'*epistemê* classique, au sein de ce prétendu ordre universel des différences[4]. La formation du nouvel esprit scientifique, par et contre l'esprit humaniste, a développé une vision critique d'un art social, d'une *tekhnê* des relations d'esprit au sein de la communauté savante, essentiellement masculine[5], afin que ce savoir soit persuasif.

La rhétorique? Nous avons trop tendance à oublier qu'elle reste, en dépit de son effondrement idéologique dans le quasi monopole discursif que détient le panégyrique au Grand Siècle[6], une technique de socialisation[7].

Penser n'est rien pour l'humaniste si l'autre ne peut aussi penser ce que l'un a pensé. A rebours, l'enjeu majeur de la méthode expérimentale, par exemple, est de faire dispense des effets de la persuasion par la rigueur de l'évidence, comme si le *logos* seul, hors de la triade aristotélicienne des preuves, suffisait – sans *pathos* ni même *ethos* à l'appui. L'*humanitas*, terme que nous avons déjà rencontré, exprime au contraire la communauté d'amitié. La *philia* y sert

---

Religio medici (écrit en 1635, pub. 1642-1643), London, J.M. Dent & Sons, 1956 (1906): "For my Conversation, it is like the Sun's, with all men, and with a friendly aspect to good and bad" (81).

3 John Boswell, *Christianity, Social Tolerance and Homosexuality*, Chicago/London, University of Chicago Press, 1980, 1 et 2.

4 Michel Foucault, *Les mots et les choses: une archéologie des sciences humaines*, Paris, Gallimard, 1966.

5 Voir mon essai "La société des amis: éléments d'une théorie de l'amitié intellectuelle", *Dix-Septième Siècle*, volume sur l'amitié, 205, 1999, 581-592.

6 Voir la quatrième partie de mon *Culte de la voix*, "La royauté vocale", 287 et suiv., et le recueil de Pierre Zoberman, *Les panégyriques du roi*, Paris, Presses de l'Université de Paris-Sorbonne, 1991.

7 Voir sur ce sujet l'ouvrage de François Lagarde, *La persuasion et ses effets. Essai sur la réception en France au dix-septième siècle*, Paris-Seattle-Tübingen (coll. "Biblio 17", 91), 1995.

de vecteur à la circulation d'un savoir qui faute d'être cru, resterait un savoir sans objet. Elle véhicule la créance. Foucault avait perçu dans la rhétorique son érotique, un des ferments de cet art de séduction qu'est l'éloquence – un charme de parole. Persuader l'autre c'est très souvent au XVIIe persuader au sein d'un groupe restreint d'amis ou d'hommes qui partagent un même tour d'esprit. La réticence de Descartes à s'engager dans les réfutations, et donc dans la persuasion, ne peut cependant pas nous faire oublier que ce marginal de la circulation du savoir mit en place l'extraordinaire stratégie d'amitié avec une femme, Elizabeth de Bohème, lien d'esprit qui, d'un sexe à l'autre, frappa l'Europe savante d'étonnement[8].

On saisira mal la tradition dans laquelle s'inscrit La Mothe Le Vayer faute de faire retour sur l'humanisme renaissant et de saisir comment les érudits du siècle classique ont pu comprendre la *philia*, l'*amicitia*. Sans faire ici appel au fameux chapitre I, 27 des *Essais* de Montaigne, il suffit de nous tourner vers Erasme.

Erasme consacre un de ses *Colloques* à l'*Amicitia*[9]. Ce dialogue, le fait qu'il s'agisse d'une conversation entre maîtres et élèves, des amis, procède, on le sait, d'un modèle littéraire, social et pédagogique que reprendra la tradition humaniste et qui donnera son fond humain à la *ratio* jésuite[10]. Or comment situer l'*amicitia* dans une société chrétienne dont le lien social est justement l'amour du

---

[8] Voir en 1652 la dédicace de Samuel Sorbière citée par Timmermans (Linda Timmermans *L'accès des femmes à la culture (1598-1715)*, Paris/Genève, Champion/Slatkine (coll. "Bibliothèque littéraire de la Renaissance", 3/26), 1993): "l'exemple que vous leur <aux femmes> donnés, n'est pas le seul, quoy que ce soit vn des plus illustres qu'elles ayent à imiter" (264 – citation des *Lettres et Discours*, Paris, 1660, 71; et relire, dans les *Sorberiana*, le portrait qu'il en donne, cité dans l'édition Adam & Tannery, nouv. prés., Paris, Vrin, 1989, IV, 452).

[9] Jacques Chomarat, *Grammaire et rhétorique chez Erasme*, Paris, Les Belles Lettres (coll. "Les classiques de l'Humanisme", 10), 1981, II, 922.

[10] Le meilleur exemple des vacances d'automne et des amitiés qui s'y nouaient, des conversations entre élèves et tuteurs, de l'esprit de connaissance amicale est donné, suprêmement, par Louis de Cressolles dans ses *Vacationes Autumnales siue de perfecta oratoris actione et pronunciatione*, Lutetiæ Parisinorum, sumptibus S. Cramoisy, 1620. Voir sur cet auteur Marc Fumaroli, "Le corps éloquent: une somme d'*actio* et de *pronuntiatio rhetorica* au XVIIe siècle", *XVIIe Siècle*, 33(3), 1981, 237-264 et, aussi, mon *Culte de la voix*, 115-118.

prochain, universel et indifférencié, à savoir la *caritas*? L'*amicitia*, définie tel un *arcanus naturæ affectus*, une disposition mystérieuse de la nature humaine, découpe dans le champ universel et "dilaté" de la *caritas*, un champ plus secret, une sorte de réserve. Erasme emploie aussi le terme de *familiaritas* pour qualifier cette sorte de rétractation de la *caritas* sur le domaine privé, ce plaisir intellectuel que l'on prend à converser avec ceux qui sont du même esprit que nous.

Socialement, le lien noué par la *caritas* et celui forgé par l'*amicitia* opèrent différemment. La seule exigence qu'impose la *caritas* est de ne pas nuire à ceux pour qui vous ne ressentez aucun *arcanus naturæ affectus*. C'est le mode qu'adoptera par exemple Antoine Arnauld dans la vive attaque de ses *Remarques* contre l'*Avertissement* mis en préface par Goibaud du Bois (1694)[11] à sa traduction des *Sermons* d'Augustin: arguant de l'esprit de charité comme acte de lecture, Arnauld corrige son adversaire, dans le droit fil du *De doctrina christiana*[12]. La *familiaritas*, elle, s'ouvre sur l'amicale harmonie du savoir partagé, où ceux qui savent enseignent à ceux qui savent moins, ou mal, en esprit d'*amicitia* – que ce soit entre Descartes ou Mersenne, entre le régent de collège et ses élèves adolescents au cours de longues promenades[13], entre Pierre-Daniel Huet et les objets de sa passion qui jalonnent sa longue existence savante[14].

---

[11] Se reporter à l'édition d'Antoine Arnauld, *Réflexions sur l'éloquence des prédicateurs (1695)* et Philippe Goibaut du Bois, *Avertissement en tête de sa traduction des Sermons de saint Augustin (1694)*, textes éd. et présentés par Th. M. Carr Jr, Genève, Droz (coll. "Textes littéraires français", 421), 1992.

[12] Voir pour une présentation plus détaillée mon article "Arnauld rhéteur", *Chroniques de Port-Royal, Antoine Arnauld (1612-1694), Philosophe, écrivain, théologien*, 1995, 163-172. Selon Augustin (*De doctrina christiana*, I-III) il s'agit de mesurer l'écart entre le *scriptum* et la *uoluntas* et, par une lecture de charité, une lecture d'amour, réconcilier ce qui est écrit avec ce que l'auteur voulait écrire.

[13] François de Dainville, *L'éducation des Jésuites (XVIe-XVIIe siècles)*, éd. de Marie-Madeleine Compère, Paris, Minuit, 1978.

[14] Pierre-Daniel Huet, *Mémoires (1718)*, éd. et préface de Ph.-J. Salazar, Paris/Toulouse, SLC/Klincksieck, 1993. Exemple d'amour pédagogique entre un régent et son jeune pupille: "L'un d'eux avait un tel attachement, une si grande tendresse pour moi, qu'ayant su que j'avais été, en jouant, grièvement blessé à la tête d'un coup de pierre, il en conçut tout à coup les plus vives alarmes. Il en tomba malade et courut danger de mort" (9). En substrat c'est évidemment le mythe d'Apollon et Hyacinthe qui est évoqué (voir l'*ecphrasis* de ce mythe

Sauf dans le cas de Descartes et d'Elizabeth[15], le savoir, qu'il suive le modèle humaniste ou scientifique, qu'il agisse entre pairs ou au collège, prit forme dans des académies, des sociétés, des cercles d'amis[16]. En dépit des altercations et des polémiques, le principe est constamment affirmé d'une communion d'esprits capables, et parfois incapables, de transformer l'*arcanus naturæ affectus* en ce que nous nommons amitié. Hors de ce principe, les fameuses ruptures comme celle entre Huet et Morus[17], et les amitiés farouches comme celle entre Descartes et Regius, ont peu de sens. L'inimitié et la polémique se conçoivent à l'aune de la *philia*, sauf à psychologiser.

L'amitié fut un agent du champ scientifique et savant. Les sentiments ont aussi une histoire, comme les larmes, et les idées[18]. La Mothe Le Vayer est à ce titre exemplaire car il se situe à la fois au sein de ces relations entre hommes de libre esprit et au cœur du

---

dans Philostrate, *La galerie de tableaux*, préf. de Pierre Hadot, trad. Auguste Bougot et François Lissarrague, Paris, Les Belles Lettres, 1991, I, 24, 48-49.

[15] Se reporter à mon analyse: "*Etre mieux instruite de votre bouche*: Descartes et Elizabeth", in Colette Nativel (éd.), *Femmes savantes, Savoirs des femmes*, Genève, Droz (coll. "Travaux du Grand Siècle", 11), 1999, 131-139.

[16] On peut se reporter, par exemple, à l'image d'un tel réseau qui se dégage de la vie d'Ismaël Boulliau, dans l'ouvrage de Henk J. M. Nellen, *Ismaël Boulliau (1605-1694), astronome, épistolier, nouvelliste et intermédiaire scientifique. Ses rapports avec les milieux du "libertinage érudit"*, Amsterdam, APA/Holland University Press, 1994. Et, pour nuancer mon propos sur l'absence des femmes, on doit aussi se reporter aux travaux du *Hartlib Project Papers* (Université de Sheffield, Grande-Bretagne, banque de données sur CD-ROM, UMI, Surrey): ainsi Lynette Hunter a pu dégager une correspondance entre Samuel Hartlib et Dorothy Moore, dont le statut concernant la circulation du savoir et la développement d'une pédagogie féminine reste toutefois à analyser. Simple rappel: Samuel Hartlib (1596/1600-1662), l'ami de Milton, prépara, avec la venue de Comenius en Angleterre non seulement une réforme de l'enseignement et du savoir, mais encore ouvrit la voie à la fondation de la *Royal Society* (dont les réunions informelles commencèrent en 1645 à Gresham College,jusqu'à la fondation de 1662).

[17] Huet, *op. cit.*, 52-59 sur cette histoire d'amitié violente, avec force cadeaux, visites, maladies, même un mariage que l'on veut imposer, une fuite, et puis des retrouvailles à Paris. Morus, devenu pasteur, publiera un volume de *Poemata* (Paris, 1669) et des *Sermons choisis* (Genève, 1694). Huet avait alors vingt-neuf ans.

[18] Voir mon développement dans "Huet ou l'amour des Lettres", 233-253 in Marc Fumaroli, Philippe-Joseph Salazar et Emmanuel Bury (éds.), *Le Loisir Lettré à l'Age Classique* ainsi que le volume de *Dix-Septième Siècle*, 205, 1999, sur l'amitié.

développement du scepticisme. Cette position est essentielle: si la sceptique refuse valeur au savoir et aux moyens rhétoriques de sa transmission, de sa réception, comment concevoir le rôle de l'amitié comme l'élément d'une stratégie d'action pour les savants?

De fait, poser la question du scepticisme philosophique, du libertinage revenu aux sources des *Academica* de Cicéron telles qu'on les lut à la Renaissance, revient à poser la question plus essentielle: douter, en pyrrhoniste, douter, en cartésien, douter aussi en baconien des vérités de l'esprit[19], est un exercice qui requiert, une fois passé le moment de l'introspection, l'appel aux amis, la convocation des savants intimes, l'évocation de la *philia*. Nous nous trouvons là en présence de ce que Foucault nomme un *dispositif*, à savoir un ensemble subreptice et éclaté de pratiques dont il faut reconstruire l'efficace. Une manière d'y entrer c'est d'avoir recours au discours. Et La Mothe Le Vayer, figure centrale de cette République des Lettres, le double en quelque sorte vernaculaire de Pierre-Daniel Huet, nous livre trois traités sur l'*amicitia* qui, du même tenant, font partie du dispositif lui-même: un *Opuscule ou traité De l'amitié, une Homilie académique*, une lettre intitulée *De l'étude, et du lien d'amitié*[20].

Le *Traité*, sur quoi s'ouvre le second volume des *Opuscules*, est précédé d'une épître dédicatoire à Gabriel Naudé, garde de la bibliothèque de Mazarin, cœur vivant et cœur livresque d'une académie savante, *Naudæus bibliotheca loquens*, dit le P. d'Aulberoche[21]. Les deux autres volumes d'*Opuscules* trouvent leur voie vers le Chancelier Seguier, le protecteur de l'Académie et vers le Cardinal lui-même. Bref, La Mothe Le Vayer pose son savant ami au même rang que deux figures centrales du patronage intellectuel, affirmant ainsi que l'*arcanus naturæ affectus* agit dans le

---

19 Voir ainsi Thomas Browne (1605-1682) dont la *Pseudodoxia epidemica* (1646) est une polyanthée des erreurs d'opinion, une mise à l'épreuve, dans la tradition baconienne de la *Sylva sylvarum*.

20 La Mothe Le Vayer, *Opuscule. I, De l'amitié*, I, 347-355=II/2, 125-156. *Treizième homilie académique. De l'amitié*, I, 618-622=III/2, 189-202. *Lettre LXXI, De l'étude, et du lien d'amitié*, II, 522-524=VI/2, 177-185.

21 Pierre d'Aulberoche, *Eminentissimo principi Julio cardinali Mazarino*, Parisiis, 1644, 11 (cité par Jacqueline Artier, "De la bibliothèque de Mazarin à la bibliothèque Mazarine", in Claude Jolly (éd.), *Histoire des bibliothèques de France.II. Les bibliothèques sous l'Ancien Régime (1530-1789)*, Paris, Promodis/Cercle de la Librairie, 1988, 144.

même champ que les liens du clientélisme. Cette remarque peut sembler anodine, banale même, de la sociologie pour classes secondaires. Mais nous savons combien dans cette *early print culture*[22], pour paraphraser le P. Walter Ong, les dédicaces sont des "lieux typographiques", éléments d'une stratégie de pouvoir, qu'elles affirment des jeux de position et de distinction et qu'elles permettent à l'*illusio* sociale de jouer.

C'est là un premier élément du dispositif de l'*amicitia*, qu'il découpe un cercle dans le cercle culturel, une sorte de taille biaisée du clientélisme. Or l'éloquence épidictique, à quoi ressortit une dédicace, sert en effet – c'est bien le but de l'*epainos* – à dire les vertus du dédicataire mais à faire apparaître en même temps le pouvoir de la parole dédicatrice[23]: l'*epainos* de l'épître est une sorte de proclamation de la vertu égale, ou analogue, opérant dans l'*amicitia* et le clientélisme, de la parité entre l'*aretê* du savant et celle du politique[24].

Autre stratégie rhétorique dans l'*Homilie académique*. Le titre est bizarre, La Mothe Le Vayer l'a choisi pour cet effet déconcertant, et il s'en explique dans une courte préface, en rappelant que l'"homélie", en grec, désigne la conversation, chose que le latin rendrait d'ailleurs par *commercium*, comme dans l'expression, "commerce des gens d'esprit". Ici, la conversation est simulée, elle est tenue avec soi-même, mais pour le bénéfice de lecteurs qui sont invités, entre amis, à se joindre à ce commerce d'idées[25]. L'écrit donne une fiction du commerce direct, il inscrit du même coup l'amitié dans le champ du livre et de l'imprimé. Or l'épithète "académique" renvoie directement, souligne La Mothe Le Vayer, aux *Academica* de Cicéron, versant sceptique de la philosophie romaine. La Mothe Le Vayer invite donc ses lecteurs à entrer dans le jeu le plus difficile qui se puisse concevoir dans le commerce de l'esprit: le dialogue qui pèse le pour et le contre, jeu de la sceptique,

---

22 Voir en particulier Walter J. Ong, *Orality and Literacy. The Technologizing of the Word*, Londres-New York, Methuen (coll. "New Accents"), 1982, 5, "Print, Space and Closure", 117-138.

23 Barbara Cassin, *L'effet sophistique*, 576 n.11: l'*enkômion* célèbre les hauts faits (le panégyrique), l'*epainos* (la louange) les manières d'être, la vertu, l'*aretê* (Cassin s'appuie sur Aristote, *Rhétorique*, I, 9, 1367 b27 *ss*).

24 Cassin, *op. cit.*, 195-206.

25 La Mothe Le Vayer, *Homilie*, 4=572.

qui met à l'épreuve la vérité reçue mais plus encore la vitalité du lien d'amitié qui doit survivre à cette épreuve dialogique. L'auteur et le lecteur acceptent, fictivement, que cet échange sera preuve de *philia*. Rites de feu.

Quant au troisième texte, une lettre, elle est envoyée à un ami: elle joue simplement le jeu de la conversation *in absentia*[26].

Trois stratégies rhétoriques mettent donc en place le dispositif rhétorique autour de la figure de l'ami. Toutefois, chacune de ces stratégies, de l'usuelle à l'inhabituelle, possède un supplément, et bien d'autres techniques de connivence pourraient être ainsi mises en exergue: leur objet est d'ordre cognitif, au cœur du dispositif savant et de son réseau. La Mothe Le Vayer raffine ici sa voix rhétorique – un traité, une conversation, une lettre – en révélant que l'art de rhétorique est aussi une technique sociale, réticulaire, relationnelle et que, *tekhnê*, cet art participe aussi d'un autre domaine que celui de la tripartition entre le démonstratif, le délibératif et le judiciaire (la pesée des preuves si proche de la rhétorique sceptique), à savoir les relations humaines qui sont relations de savoir.

De quel savoir s'agit-il? Ou, pour aussitôt reprendre ma question, de quel forme du savoir s'agit-il? Ici, de la forme propre à l'enquête humaniste, fondée sur le stock des Belles Lettres, confrontée aux formes émergentes du cartésianisme et de l'expérimentalisme. Bref, le savoir dont il est question, dans la mise en place de ce réseau rhétoriquement filé, est celui de l'incertitude des critères de vérité, et des vérités morales et philosophiques. Et, de cette incertitude sort la nécessité de manier certains modes rhétoriques afin non pas tant de découvrir le vrai que d'en raconter la mise au point. Bref, existe-t-il une recherche de la vérité sans la précieuse diplomatie rhétorique de l'homélie, du commerce et de la confidence – entre amis? Plus radicalement: est-il possible d'enquêter sur le vrai sans ses amis?[27] *Amicitia* et savoir sont les deux faces d'un même dispositif éloquent.

---

[26] Voir, entre autres, Bernard Bray et Christoph Strosetzki (éds.), *Art de la lettre. Art de la conversation à l'époque classique en France*, Paris, Klincksieck, 1993.

[27] De nouveau, dans les travaux du *Hartlib Papers Project*, Michael Leslie a montré comment John Beale s'assurait que ses découvertes ne circulaient qu'entre ses amis, et sous forme manuscrite seulement – la moins médiatisée (contribution à la conférence de 1992).

Le traité dédié à Gabriel Naudé s'articule sur trois références belles-lettristes: le *Lysis* de Platon, le *Lælius* de Cicéron et le *Toxaris* de Lucien[28]. Trois apologies de l'amitié, trois apologies différentes qui ont pour trait commun un même *ethos*: trois dialogues entre amis.

Le *Lysis* est l'exemple canonique d'une rhétorique de la *philia*, deux jeunes gens discutant de l'amitié sous la conduite de Socrate, situation exemplaire du lien social qu'est le lien savant, ici dans l'ordre préparatoire de la *paideia*. Dans le *Lælius* ce sont, par contre, trois adultes, engagés dans les affaires publiques, modèles achevés, en quelque sorte, des adolescents de Platon – ces deux textes étaient au programme de la classe de quatrième, sujet d'exercices grammaticaux certes mais dont La Mothe Le Vayer évoque la *memoria* sous l'angle plus large d'exercices de l'esprit. Enfin, dans le *Toxaris* et ses amours en tout genre, c'est la passion qui signe, texte au programme de la classe de rhétorique, sorte de couronnement par la fiction et ses charmes des deux autres dialogues[29]. On quittait le collège, semble dire, *sotto voce*, La Mothe Le Vayer, en rêvant d'incarner grâce au commerce amical la douceur du *Lysis*, la conscience publique du *Lælius* et la passion du *Toxaris*.

De fait le mot qui revient sous la plume de La Mothe Le Vayer, c'est "ravir"[30]. Ces lectures furent des actes de ravissement partagé entre Naudé et lui-même. Le lien est indissoluble. Or La Mothe Le Vayer rappelle au chanoine que l'ami, en latin – et seulement en latin – est qualifié de *nécessaire*, un *necessarius*, un ami intime, mieux qu'un parent. Le lien savant, le lien amical, est un lien de "necessitude" tellement contre nature qu'il opère la ligature de deux êtres que le lien du sang ne rattache pas, dans une "impossibilité morale de s'en passer"[31].

---

[28] Plato, *Lysis*, éd. J. Wright, 145-168 in *The Collected Dialogues*, éd. par Edith Hamilton et Huntington Cairns, Princeton, NJ, Princeton University Press (Bollingen Series LXXI), 1973 [1961]. Lucien de Samosate, *Toxaris*, 59-103 in *Amours*, éd. et trad. par Pierre Maréchaux, Paris, Arléa, 1993. Ces trois textes paraissent ensemble dans la traduction de Blaise de Vigenère (1579) dont j'ai donné une analyse dans "Herculean Lovers. Towards a History of Men's Friendship in the 17th Century", *Thamyris. Mythmaking from Past to Present*, 4(2), 1997, 249-266.

[29] Sur le syllabus, Dainville, 282, 222.

[30] La Mothe Le Vayer, *Opuscule*, 128=349.

[31] *Id.*

C'est à cette jonction que La Mothe Le Vayer choisit d'activer le test de la Divine Sceptique, de peser le pour et le contre de ce qu'il vient de dire: est-il bien vrai que le lien d'amitié existe, surtout entre savants qui, rompus à la pesée des arguments, rompus à l'exercice de l'esprit, devraient questionner la valeur de la *philia* elle-même? L'amitié entre gens d'esprit importe peu, puisque qu'elle opère dans le champ des préjugés, des foucades, bref de l'opinion. Mais, entre gens *de* l'esprit, dans le champ voulu et désiré de la vérité, le principe du *necessarius* résiste-t-il au test du scepticisme, pièce centrale du dispositif savant?

La Mothe Le Vayer met donc en train une argumentation sceptique contre la *philia*. Son point de départ, c'est Aristote et l'*Ethique à Eudème*[32]: l'amitié suppose une correspondance d'esprit; la connaissance de soi-même passe par la médiation de l'autre, reconnu comme égal, et l'autre accomplit en retour le même geste de savoir. Dans ce cadre, la connaissance (de soi, de l'autre, du monde) n'est pas un exercice solitaire. La Mothe Le Vayer met en position le contre-argument sceptique: comment concevoir que l'un puisse être la médiation de l'autre, si l'un ne peut même pas, le plus souvent, être en relation avec soi-même? Le lien de nécessitude est fallacieux – sauf à mettre en place ce que La Mothe Le Vayer nomme un "consentement mutuel"[33], à savoir un partage réciproque de choses que l'on sent et ressent ensemble. Hors cela, l'élément de liaison n'est autre que l'intérêt, une forme de l'amour de soi, un "plus pour soi-même" arraché donc à l'autre, tractation qui rend nul le lien de *philia*. A ce moment de son application sceptique, La Mothe Le Vayer développe en fait la proposition qu'un tel lien ne peut se nourrir que d'expériences passées – le présent ou le futur comporte un potentiel de philautie, d'amour-propre à cause de la nature des enjeux publics et sociaux. Le passé, l'accompli seul, est garant du lien – tel, le ravissement partagé des lectures du *Lysis*, du *Lælius* et du *Toxaris*.

L'argument peut sembler banal ou baroque, selon les points de vue, mais son objet, puisque de scepticisme il s'agit, est de tester les limites de la définition aristotélicienne. En fait, La Mothe Le

32 Aristote, *Ethique à Eudème*, préface et trad. par Pierre Maréchaux, Paris, Payot/Rivages, VII, 11-12, 178-188.

33 Plus exactement: un parfait consentement, lequel est mutuel et réciproque, désintéressé et inaltérable (*Opuscule*, 131=348)

Vayer actionne une argumentation sur la nature des relations entre intellectuels. S'il ajoute ce trait: "[...] deux mille ans nous ont à peine fourni trois ou quatre couples d'amis véritables"[34], l'expression, un lieu commun, a valeur d'ironie: elle lui permet d'illustrer un mode fort de la sceptique, à savoir celui de la variation du tempérament. Si, sur deux mille ans, il n'y eut que trois ou quatre paires d'amis, c'est que chaque homme varie *intérieurement.* Autrement dit, similitude et correspondance doivent d'abord être acceptées, et construites, dans chacun avant de pouvoir être mises à l'épreuve de l'autre. La Mothe Le Vayer, écrivant à Naudé, formule un art d'amour, un *ars amoris* entre savants qui repose sur l'acceptation de cette nécessité, que l'on varie. Invariance de la variation.

Par opposition, le mariage et la passion d'amour sont perçus par le Vayer comme signes de la variation des mœurs, "vivre selon son temps", et garanties de "désastre"[35]: le mariage est censé arrêter par le sacrement la variation humaine, alors qu'il en accentue les dangers. Pour La Mothe Le Vayer le mariage est toujours *à la mode.* Mariage et passion d'amour ne peuvent pas, dans ces conditions, affermir le commerce de l'esprit.

Mais quel est le profit d'amitié? Soliloque simulé, colloque donc offert au lecteur, l'*Homilie* met, elle, en scène les normes d'un dialogue amical et savant fondé sur cette correspondance d'esprits, laquelle est aussi une mise à l'épreuve sceptique. Or, La Mothe Le Vayer choisit de centrer le gain philosophique de ce soliloque, conversation avec soi qui est modèle donc du commerce avec l'autre si semblable à soi-même, sur la question précise du "gain" de l'amitié, gain qui doit être souverain (désintéressé) – la question du Souverain Bien.

C'est à l'*elocutio* de son argument qu'il faut prêter attention: La Mothe Le Vayer cite "les joies, les plaisirs, & les contentemens que nous pouvons goûter"[36]; il évoque ces *Nuits attiques* d'Aulu-Gelle qui donnent depuis la Renaissance un de ses modèles au symposium philosophique. Mais voici l'extraordinaire tour de phrase par lequel, stratège, il enveloppe le sujet du Souverain Bien:

---

[34] La Mothe Le Vayer, *Opuscule*, 155=354.
[35] La Mothe Le Vayer, *Lettre LXXXVI D'un divorce*, II, 557-560=VI/2 318-328
[36] La Mothe Le Vayer, *Treizième homilie académique*, 618=189.

> Que si nous considérons separément les voluptés du corps, nous trouverons qu'elles aboutissent toutes à des replétions, ou à des évacuations naturelles, dont nous ne devons pas faire grand cas, si nous voulons juger sainement; mais à la vérité il faut parler autrement de ce qui touche l'esprit. Il a ses replétons quand il se pourvoit de connoissances qui lui fournissent des joies inconcevables, & telles qu'on ne se peut pas imaginer, que les Essences d'enhaut en puissent avoir de plus pures. Et pour ce qui concerne ses évacuations intellectuelles, elles passent en dignité, & en solide volupté les corporelles [...] Quel plus grand contentement que de produire hors de nous par un écoulement spirituel ce qui peut servir d'instruction à tout le Genre humain! [...] les contentemens spirituels ne se goûtent nulle part si parfaitement que dans l'amitié[37].

Le plaisir de la connaissance outrepasse celui du Souverain Bien, ces "essences d'enhaut" – Dieu: le Souverain Bien n'est pas dans leur recherche mais dans ces joies et ces plaisirs du commerce amical dont le but reste, certainement, la connaissance, secondairement le plaisir physique se dégageant de la compagnie amicale. La métaphore filée par La Mothe Le Vayer (réplétion, contentement, écoulement) assigne une manière de somatisation à la conversation spirituelle et amicale. Et, depuis ce point de vue concernant le plaisir, La Mothe Le Vayer peut reprendre son argumentation sur l'amitié comme suprême plaisir d'esprit. Mais il n'attache aucun *caveat* à l'analyse, largement tirée de l'*Ethique à Nicomaque*[38]. La Mothe Le Vayer choisit, dans cette conversation simulée avec soi, lors de quoi il est donc censé ouvrir les "secrets" du privé au public d'amis (les techniques romanesques livrant l'intérieur d'un personnage sortent de ce dispositif complexe de l'amicale révélation), d'ouvrir encore plus large la question aristotélicienne: est-il plus beau d'aimer que d'être aimé?[39]

En dévoilant l'homélie secrète, cette conversation privée, et en l'arrimant à une question essentielle de la morale, celle du Souverain Bien, dans un geste rhétorique dont l'amplitude peut échapper

---

[37] *Ibid.*, 619=190-191.

[38] J'ai utilisé la traduction anglaise, Aristotle, *Nicomachean Ethics*, éd. W D Ross, Chicago/London, Encyclopædia Britannica/The University of Chicago, 1952, II, IX, 1-12, 416-426.

[39] La Mothe Le Vayer, *Au lecteur* (préface aux *Homilies*), 572=3.

tant l'ironie est féroce, La Mothe Le Vayer met une autre touche à la somatisation de son propre discours sur la *philia*. A partir d'Aristote on pourrait en effet, par analogie, déduire que savoir est mis en équation avec aimer, c'est-à-dire, au-dessus d'être aimé, au-dessus d'être su, puisque – suivant Aristote – les choses inanimées peuvent être connues mais ne peuvent connaître[40].

En d'autres termes La Mothe Le Vayer propose une théorie du plaisir de l'esprit fondé sur l'amitié comme méthode du savoir, du savoir des autres (au sens objectif), du savoir de soi, et du savoir du monde. Tel est ce qu'il nomme un "écoulement". Et, se tournant vers la fable pour trouver une illustration poétique, La Mothe Le Vayer choisit expressément dans les différentes versions du mythe de Narcisse celle de l'amour fraternel. La *philia* ne supporte pas la *philautia* (le "narcissisme"). Entre savants, la *philia* implique un gain, cette décharge qui coule d'une réplétion, bref un partage en vue d'un équilibre. On comprend alors mieux pourquoi ces relations d'esprit développent une sorte d'*ars amoris* dans la République des Lettres et qu'elles finissent pas annuler les passions, comme celle qui excite l'amour de reproduction: la recherche de la vérité est en soi un usage des plaisirs (combien d'évocations de beuveries, de chansons, de ripailles – usages qui accompagnent la vertu symposiaque de l'amitié savante). C'est cela qui contraint La Mothe Le Vayer à rejeter la définition de l'*Ethique à Nicomaque*, la distinction entre amants et aimés, et à affirmer la symétrie de l'échange spirituel. Les pièces de cet *ars amoris* sont bien connues: préfaces, épîtres dédicatoires, tombeaux, collations de poèmes, *ana*, miscellanées, correspondances – un vaste ensemble de stratagèmes issues de la culture imprimée comme des palliatifs à la désintégration de la culture orale, bref à la lente disparition du commerce de vive voix dans la culture savante[41].

Cet *ars amoris* se construit sur la disparition du corps de l'ami dans ces *beings of paper* dont parle William Golding. Etrange érotique.

---

[40] Aristote, *Ethique à Nicomaque*, VIII et IX.

[41] J'ai développé cette question de la mémoire savante dans mon essai, "Huet, ou l'art de parler de soi", in Suzanne Guellouz (éd.), *Pierre-Daniel Huet (1630-1721)*, Paris-Seattle-Tübingen (coll. "Biblio 17", 83), 1994, 133-140.

Ce rapport de substitution au corps est toutefois rhétoriquement construit dans la lettre intitulée *De l'étude, et du lien d'amitié*. Le texte roule sur une parabole:

> L'on dit qu'on voioit autrefois dans un temple de l'Isle de Chio une Diane de marbre fort élevée, dont le visage avoit cette proprieté, qu'il paroissoit triste à l'entrée, & joieux au contraire à ceux, qui sortoient, leur devotion, ou leur curiosité finie. L'Etude, sur tout de la Philosophie, possede naturellement ce que l'art sût donner à ce chef d'œuvre[42].

La parabole est suivie d'une double admonition. De fait si, comme La Mothe Le Vayer en avertit l'ami auquel la lettre est adressée, la trahison d'un ami est

> un coup si sensible, que tous les remedes de la Philosophie se trouvans trop foibles, il n'y a qu'une grace particuliere du Ciel, qui puisse nous donner assez de forces pour le souffrir[43],

faillir à s'engager dans un commerce d'esprit, bref lier la nécessitude d'amitié "sur l'exterieur"[44], est une trahison encore plus grande. Quel est le supplément de sens de la parabole? Qu'un possible ami d'esprit peut comme le temple de Diane répugner à la première approche mais que, après être passé par le commerce d'amitié, comme on traverse le temple, et à condition d'observer les règles de cette passe, on en ressort comme transformé. Usage de l'amitié, usage des plaisirs de l'esprit, usage du corps. En termes voilés, mais si peu tels, La Mothe Le Vayer indique que l'exercice de l'esprit, et cet *ars amoris* qu'est l'amitié savante entre hommes, est placé dans son propre voilement – ce corps spirituel à traverser afin de pouvoir jouir d'une présence.

Le test final de la Divine Sceptique reste donc que la connaissance dépend des variations humaines (l'un des modes de supension du jugement, le second chez Pyrrhon) mais qu'une exception existe à cette règle, la *philia*. Celle-ci garantit à l'esprit scientifique une de ses conditions de développement en l'assurant d'un champ humain, social, relationnel. Il est alors possible de camper sur des positions conservatrices et d'affirmer que l'amitié d'esprit, ayant

---

[42] La Mothe Le Vayer, *Lettre LXXI*, 522=177.
[43] *Ibid.*, 523=181.
[44] *Ibid.*, 524=183.

pour objet la science, assure simplement la perpétuation sous une autre forme de la République des Lettres, cycle mémorial du travail, de la *paideia*, actes de rappels et d'offrandes – qui empêchent en effet que l'éristique, la polémique, ou bien l'indifférence née de la culture imprimée, n'arrachent au ciel de la connaissance le soleil de l'amitié. Mais c'est faire peu de cas du rôle crucial joué par la Divine Sceptique, qui aide à formuler une esthétique de la dispute entre gens de lettres, et qui se met ici au service de la tolérance intellectuelle, contre le dogmatisme.

Dès lors, pour aller un pas plus loin, on pourrait avancer que l'objet central du dispositif dont l'*amicitia* est l'agent de liaison, l'opérateur, serait un effort concerté de la part des intellectuels pour se constituer comme une société "à part", au creux de la société d'Ordres et de privilèges, et pour émuler entre eux un esprit "républicain", esquisse privée de démocratie publique[45]. Le savoir, naguère humaniste, maintenant scientifique, outre qu'il est de la science, est aussi un processus de socialisation qui tente, en croisant le "tropisme nobiliaire" des gens de lettres[46], de construire, à l'intérieur de la société d'Ancien Régime, un espace d'autonomie et d'indépendance, régulé par la *philia* et par l'exercice sceptique de la connaissance. Une société de libres penseurs, en effet. De citoyens, donc.

---

[45] Le Vayer retrouve l'argumentation d'Aristote, dans l'*Ethique à Nicomaque* (VIII, 11) de la similitude entre la vertu démocratique et l'amitié (par opposition à l'amour paternel, analogue de la monarchie; à l'amour uxorial, analogue de l'aristocratie), laquelle est assimilée à l'amour entre frères.

[46] La notion est d'Alain Viala, *Naissance de l'écrivain*, Paris, Minuit, 1985, 261-264.

CHAPITRE SIX

Les écrevisses et l'art de vaciller

La Mothe Le Vayer est un moraliste, d'une autre encre que La Bruyère ou La Rochefoucauld mais, comme eux, il sait bien que le monde ne se réduit pas aux relations entre collègues et amis. En dépit des différences d'opinion religieuse et du climat d'idées qui les environne – Le Vayer est contemporain du Duc mais il meurt alors que La Bruyère commence de concevoir son livre – il faudrait parvenir à lire ces trois essayistes ensemble comme des maillons de la pensée, ou plus exactement, de la rhétorique des mœurs, moments d'une écriture sur les comportements humains – sur l'homme, "le plus divers et le plus bizarre des animaux"[1]. Mettre en perspective, pour s'en tenir là, La Mothe Le Vayer et La Bruyère peut jeter un jour sur l'écriture moraliste – lorsqu'un intellectuel devient commentateur de l'*ethos* d'une société.

Autant commencer par des préfaces, celle qu'appose Le Vayer aux trois livraisons de ses *Homilies académiques* (1665-1666)[2] et le

---

[1] L'expression est évidemment inspirée par Louis Van Delft, dont: *Littérature et anthropologie. Nature humaine et caractère à l'âge classique*, Paris, Presses Universitaires de France (coll. "Perspectives littéraires"), 1993, 159-179; *La Bruyère moraliste. Quatre études sur les* Caractères, Genève, Droz (coll. "Histoire des idées et critique littéraire", 117), 1971, 1, 15-51. On peut mesurer le rayonnement de La Mothe Le Vayer moraliste, en notant, par exemple en Angleterre le succès du troisième des *Quatre dialogues* d'Orasius Tubero (Francfort, J. Sarius, 1604) (=1630) traduit en anglais sous le superbe titre de *The Great Prerogative of Private Life* (Londres, 1678 – dans le sillage de la publication élargie des *Cinq dialogues*, Mons, La Flèche, 1671), et celui du dialogue *De la liberté et de la servitude* (Paris, A. de Sommaville, 1643) sous le titre de *Of Liberty and Servitude* (Londres, 1649) – sans compter les traductions de son *Instruction* du Dauphin.

[2] La Mothe Le Vayer, *Discours ou homilies académiques*, I, 572-681=III/2, 3-442.

Discours sur Théophraste de La Bruyère[3]. Dans les *Homilies*, c'est d'abord le genre même de l'*homélie* qui importe. Le Vayer propose vingt-sept conversations avec soi-même, tenues devant l'autre absent qu'est l'ami, le lecteur, l'autre d'une conversation qui ne peut avoir lieu *in vivo*, rappelant (dans la première préface)[4] que l'homélie, en grec, n'est que – on l'a déjà vu – le *commercium* des Latins et la *conversation* des Français, une sorte de manière libre d'échanger des propos en compagnie.

En dressant cette fiction d'une parole à la fois solitaire (dans l'écrit) et communautaire, libre mais générique, bref une définition de l'éloquence philosophique, au sens où *philosophe* et *moraliste* sont interchangeables[5], Le Vayer use de cette "faculté de pouvoir converser avec soi-même" dans un jeu de dévoilement de ce qui aurait pu rester un soliloque impublié, pour affirmer ce qu'il faut bien appeler les droits d'une écriture moraliste à passer de l'observation à l'indication d'un jugement[6] qui, et c'est là le poids de l'épithète *académique*,[7] reste "problématique".

Sous couvert d'un "divertissement d'étude" La Vayer trace en fait un parallèle explicite entre l'homélitique sacrée, "où il n'est pas permis de vaciller" et cette homélitique profane où le moraliste, en faisant du *vacillement* le suc et l'attrait de la lecture, attire cependant, comme le miel les abeilles, son lecteur vers un jugement, ou, à tout le moins, la contemplation, *sub oculos subjectio* (Quintilien, *Institutio oratoria*, IX, 2, 17), d'une réalité morale.

---

[3] La Bruyère, *Les caractères*, éd. par E. Bury, Paris, Le livre de poche, 1478, 1995.

[4] La Mothe Le Vayer, *Discours ou homilies académiques*, I, 572=3-4.

[5] Sur la lexicologie de *moraliste*, voir Van Delft, *Le moraliste classique. Essai de définition et de typologie*, Genève, Droz (coll. "Histoire des idées et critique littéraire", 202), 1982, 32.

[6] Pour suivre Corrado Rosso, tel que le résume Van Delft (*Le moraliste classique*, 51, citant "Il messagio dei moralisti francesi", in *Inventari e postille. Letture francesi, divagazioni europee*, Pise, Gogliardica, 1974, 182-200).

[7] Sur cette question de la reprise des *Academica* de Cicéron, je renvoie aux études suivantes: M. F. Burnyeat, "The Skeptic in his Place and Time", in Richard H. Popkin et Charles B. Schmitt (éds.), *Skepticism from the Renaissance to the Enlightenment*, 13-43; Letizia A. Paniza, "Lorenzo Valla's *De Vero Falsoque Bono*, Lactantius and Oratorical Skepticism", *Journal of the Warburg and Courtauld Institutes*, 41, 1978, 76-107; Françoise Caujolle-Zaslawsky, "Sophistique et scepticisme. L'image de Protagoras dans l'œuvre de Sextus Empiricus", in Barbara Cassin (éd.), *Positions de la sophistique*, Paris, Vrin (coll. "Bibliothèque d'histoire de la philosophie"), 1980, 149-165.

Or, dans la deuxième préface[8] Le Vayer insiste sur l'enjeu vital, en quelque sorte, de cette conversation sur les mœurs. Converser conclut d'une part une "longue habitude", laquelle résume sa vie de philosophe et donne le sublimé de ses réflexions – "à l'exemple de Théophraste qui cessa de vivre aussi tôt, qu'il eût renoncé à l'étude [...] un exemple fort considérable pour cela."

Et la conversation morale portera d'autre part signe de l'"humanité" du moraliste si son style met de la lumière dans ses obscurités, de la légèreté dans le solide – bref si elle illustre une règle de fond: "Peut être ce qui nous y déplait, est ce qui donne le plus de satisfaction à d'autres." Il n'est pas de "si bon Archer, qui ne manque quelquefois de donner au but", comme il n'est d'auteur qui parfois manque de plaire.

Cette esthétique de l'homélitique sceptique, pour lui donner un autre nom, affirme donc à la fois le prestige d'une tradition, celle de Théophraste, modèle non pas tant livresque qu'humain (converser sur les mœurs c'est aussi apprendre à vivre et à bien mourir – en écrivain) et l'incertitude des effets d'une éloquence dont la formule, pour convoquer La Bruyère et placer cette citation en regard de celle de Le Vayer, serait bien: "Si on ne goûte point ces *Caractères*, je m'en étonne; et si on les goûte, je n'en étonne de même" (XVI). L'archer peut manquer sa cible, son lecteur, et s'étonner ainsi qu'un même trait ici porte mais ne porte pas là.

Le vacillement que Le Vayer situe au cœur de l'homélie sceptique concerne donc l'assurance dont se convainc le moraliste de la portée, de l'*energeia* pour dire le mot, de son discours.

Dans la troisième préface[9] Le Vayer s'attache à définir la voie moyenne qui est la sienne, qui se tiendrait entre ces

> livres remplis de curiosités studieuses, mais tout-à-fait inutiles, & où il y a, aussi bien qu'aux Ecrevisses, beaucoup plus à éplucher qu'à manger

---

8 La Mothe Le Vayer, *Discours ou homilies académiques*, IIe partie, I, 606=III/2, 139-143.

9 *Discours ou homilies académiques*, IIIe partie, 643=289-296 (les préfaces s'allongent des premières *Homilies à la Suite des homilies* et aux *Dernières homilies*). Ces textes (avec *De la connoissance de soi-même*, Paris, L. Billaine, 1668 et les *Soliloques sceptiques*, Paris, L. Billaine, 1670, sont ainsi contemporains des trois premières éditions *Maximes* de La Rochefoucauld (1664 et 1665, 1666, 1671).

et ces “lectures trompeuses, quoique charmantes”, œuvre de la mode, écrits qui

> aprés avoir été fort prônés par toutes les ruelles <ont> leur fortune pareille [...] à celle des restes de la Tour de Babel, qui paroissent encore aujourd'hui [...] plus grands de loin que de près.

L'écriture moraliste, telle que la pratique Le Vayer, tire de la “lecture des bon originaux” une imitation moyenne qui œuvre en direction d'une lecture sans illusion. En somme, Le Vayer propose un art de persuasion concernant les mœurs qui use des moyens de l'*enargeia* sans avoir recours pourtant ni aux portraits et à la description[10], ni à un appareillage qui vise à stupéfier le lecteur – le plat d'écrevisses.

Confronté à la diversité de l'homme, Le Vayer affirme, sur la fin de sa carrière, alors qu'une manière de sommation lui semble enfin due, que l'observation et le commentaire sur les mœurs de l'homme ne peuvent être mis en œuvre que par un retrait du moraliste derrière l'efficace des jugements qu'il porte – en ne les portant pas. Il joue à son Théophraste: les *Homilies* sont dans le style des *Caractères* de Théophraste.

De fait, si nous nous tournons à présent vers le *Discours sur Théophraste*, nous constatons un geste identique de la part de La Bruyère – et c'est le paragraphe d'ouverture sur le vain projet d'“échapper à toute sorte de critique, et enlever les suffrages de tous ses lecteurs”. L'argumentation est connue mais il est bon de souligner qu'elle emprunte la même ligne de fracture que celle de Le Vayer (livres savants, livres mondains, les “livres” contre les “bouquins”) en définissant, comme le fait Le Vayer, les conditions du succès d'un livre. Dans le cas plus précis des ouvrages de morale, La Bruyère ne se préoccupe pas tant de cerner ce qu'en doit être la forme persuasive que de mettre en rapport l'identification des lecteurs au livre lui-même.

Ecrire sur les mœurs revient à se demander au premier abord ce que sont les mœurs de lecture, en dernier ressort l'idée que se font les lecteurs du profit de leur lecture, l'“instruction” qu'ils en reçoi-

---

[10] Sur ce point comme un des critères de définition de l'écriture moraliste, voir Van Delft, *Le moraliste classique, loc. cit.*

vent. L'homme est divers[11], formule de fond du scepticisme, le lecteur l'est plus encore.

L'écriture moraliste, telle que La Bruyère tente d'en donner une typologie dans les premières pages du *Discours*, se formule en fonction de sa réception et par conséquent des moyens de persuasion ou de démonstration que le moraliste doit mettre en œuvre, non pas afin de plaire à tous les lecteurs possibles (qu'il catalogue ainsi: les maniaques de la définition, les passionnés de la physiologie, les fanatiques de la réforme des mœurs) mais en vue de dire ce qu'il veut dire, en dehors de tout souci de plaire. L'écriture moraliste se place en quelque sorte en dehors des conditions de lecture: elle crée ses propres modes de lecture – l'image de la cible et de l'archer, celle de la touche chez La Bruyère (*Préface*)[12]. "Rendre au public ce qu'il m'a prêté" (*Préface*) n'est-ce pas aussi rendre au lecteur ce que le lecteur ne fait que prêter, cette attention de lecture dont l'auteur n'est pas maître?

Il faut donc se poser la question de la valeur persuasive du discours moraliste face à la diversité de lecture – car, dans cette perspective, les *Caractères* de La Bruyère participent aussi d'une homélitique profane, au sens qu'alloue La Mothe Le Vayer à cette expression. Or, de ce point de vue, si les *Caractères*, comme les *Homilies*, ne relèvent pas de la maxime, ils placent ensemble le moraliste au rang d'un observateur, d'un enquêteur, ce que rend en effet le terme de *skeptikos*[13]. La Mothe Le Vayer et La Bruyère observent la diversité humaine et en rendent compte, en ayant conscience des limites naturelles qu'impose ce refus de livrer aux lecteurs une science ou une éthique, contre l'horizon d'attente pourrait-on dire. L'un et l'autre savent que leur rhétorique n'a pas d'effet pratique dans l'ordre social: le jugement qu'ils indiquent, plus qu'ils ne portent, sur les comportements humains reste entièrement dans le plaisir que l'un et l'autre prennent à l'énoncer plus qu'à en savourer l'indécidable efficacité.

---

11 La diversité est le sujet de l'*Homilie XXIV, Discours ou Homilies académique*, IIIe partie, 665-670=375-395.

12 Voir François Lagarde, *La persuasion et ses effets. Essais sur la réception en France au dix-septième siècle*, chapitre 1 – sur la "touche".

13 Voir l'analyse de M. F. Burnyeat.

Il est tentant de se demander dans quelle mesure l'écriture moraliste ne présente pas, en dépit des dénis que laissent supposer La Mothe Le Vayer comme La Bruyère (et par delà leurs différences de style), l'essentiel d'une sophistique.

Le moraliste, au même titre qu'un Protagoras, serait un "expert", un technicien, dans la pesée des mœurs, mesurant comment l'homme se donne "pour mesure de toutes choses".

Sous cet angle les *Caractères* ne sont pas seulement une large amplification sur le thème de l'homme mesurant le monde à l'aune de ses actions et à elles seules. Ils sont l'affirmation que, au cœur ou au-dessus de cette diversité des mesures que chacun s'octroie pour soi (la source de la galerie des "caractères"), au dessus donc des "conditions", le moraliste se comporte en sophiste ou en sceptique. Sophiste, il serait cet expert des contradictions de la société civile dont il instruit ses lecteurs, leur laissant le choix de la conduite de leur vie. Sceptique, cet autre expert du balancement des contradictions agitant les choix de comportement, ou l'aveuglement buté, l'opiniâtreté. Dans la tradition philosophique Sextus Empiricus place en effet Protagoras parmi les ancêtres de la *skpesis*, à quoi se refuse par ailleurs Diogène Laërce[14]. Oscillation historiograpique laquelle éclaire une autre oscillation dans l'œuvre même des moralistes, entre la position du sophiste et du sceptique – apparemmment de La Bruyère et de Le Vayer – ou, plus exactement, entre ce qui ressortit à la notion d'expertise en anthropologie classique. La Bruyère et Le Vayer sont des experts en diversité humaine, dont le discours oscille entre un pôle sophistique (lorsque le "caractère" offre l'*euidentia* d'un acte de l'homme se donnant comme mesure du monde – jusqu'à la mesure d'une tulipe, chez La Bruyère) et un pôle sceptique (de cette mesure, il suffit de dire qu'elle est, et je la dis "bien sous tous rapports").

Pour bien saisir ce jeu sceptique et sophistique, il suffit de se reporter à l'étrange *Remarque CVI*, "UN JEUNE PRINCE, D'UNE RACE AUGUSTE" (la typographie est cruciale). Il s'agit là d'un texte épidictique, frappé "dans le style des inscriptions" (pour paraphraser le petit traité de Boileau). Il s'agit là aussi d'un texte qui, contre un lieu commun (le fils n'hérite que rarement des qualités du père, bref la

---

[14] Se reporter à l'étude de Françoise Caujolle-Zaslawsky.

vertu, le sens politique, n'est pas héréditaire), défend que les fils des princes sont naturellement vertueux et que, selon un second lieu commun (la vertu est innée: le sens des affaires, ça ne s'apprend pas), que la vertu ne s'enseigne pas. Elle est naturelle – aux grands.

Etrange encomium du prince, lorsque l'épidictique se renverse en discours délibératif, qui semble dire aux réformateurs réunis dans le salon politique du "Petit Concile" (qui s'essayait à former le sucesseur du Grand Roi, à pure perte): à quoi bon former ce prince[15], si la vertu lui est innée ("divines qualités"), et si elle l'est, comment concevoir que le reste de la cité soit aussi pervertie, et, par conséquence, quelle est l'efficace des *Caractères*? Bref, quel est le rapport entre le souverain et les sujets, *sous ce rapport-là*? La Bruyère, loin de se faire l'interprète d'un "enthousiasme général"[16] pour l'héritier du trône, met en question cet enthousiasme et le montre pour ce qu'il est, un "enthousiasme", c'est-à-dire, la *doxa* d'une partie de la Cour. La véritable question qu'il pose c'est celle, on l'a reconnue à sa source philosophique, du dialogue entre Protagoras et Socrate, dans le *Protagoras*[17], à savoir, la vertu s'enseigne-t-elle?

Contrairement à Protagoras, La Bruyère montre, dans la *Remarque CVI*, que ce n'est pas le cas ou que, au témoignage de l'enthousiasme général, son enseignement est une aporie: si la vertu est enseignable, la *paideia* oblique filée au long des *Caractères* de La Bruyère s'applique-t-elle aussi au souverain? Si elle n'est pas enseignable, il faut alors faire avec ce que vous donne le Ciel, un bon roi, un mauvais roi – et espérer cependant que le fils d'un "héros" l'est aussi. A condition, et quelle restriction! que ce héros paternel soit un héros de la vertu, question que *Du Souverain* laisse, on le sait, cruellement sans réponse. Le syllogisme est bancal. Suite à la *Remarque CVI*, le jugement que le sujet porte sur le souverain restera donc en suspens, pris soit dans la logique sophistique (si la vertu s'enseigne, qui est en mesure de le faire bien: les

---

[15] Sur cette notion de *formation* du prince et sur son rapport à l'encomium, voir mon essai "Balzac, lecteur de Pline le Jeune: la fiction du *Prince*".

[16] Je cite E. Bury, *Les caractères*, 490 n.1.

[17] Je suis le passage (Platon, *Protagoras*, 320b-328d) tel que le traduit et le commente Barbara Cassin, *L'effet sophistique*, 295-398.

Grands, le Petit Concile, ou le moraliste?), soit pris dans la logique sceptique (l'aporie est sans résolution, le seul gain aura été d'exhiber la puissance hallucinante de la *doxa*).

C'est ainsi que la *Remarque CVI* est un parfait moment d'*epideixis*: La Bruyère *montre* l'objet du discours, la typographie en lettres capitales servant à hausser le ton, métaphoriquement, à soutenir l'*euidentia* rhétorique tout en faisant l'économie d'une longue remarque sur le Dauphin. Mais, cruellement, il montre alors, en ayant recours à cette technique de transposition typographique empruntée à Emmanuele Tesauro (la réduction d'un texte en sentences *lapidaires*), que la gloire (la vertu tant célébrée du Dauphin) a son double, la pierre tombale. La *Remarque CVI*, par sa typographie de monument, est déjà l'épitaphe du Dauphin – non pas sur la tombe d'un prince qui ne sera jamais roi, et telle sera sa vraie tombe, mais sur le discours même de l'éloge du prince : flatter, célébrer, louer sont des tombeaux de mots pour dire des choses qui n'existent que dans le discours. Nulle part ailleurs[18].

La question de la portée épidictique du discours moraliste reste donc entière: que démontre ou que montre une telle expertise dans les affaires humaines, sinon l'expertise du discours de l'intellectuel lui-même?

On ne peut se déprendre, à lire La Mothe Le Vayer et La Bruyère, de la sorte d'orgueil d'écriture qui anime leurs textes, de parade et de panache.

Du reste, un tel usage rhétorique du scepticisme n'est pas étranger à l'apologétique[19], il offre une autre voie d'accès : dans le courant anti-stoïcien qui parcourt la Renaissance et le XVIIe, et dont La Mothe Le Vayer autant que La Bruyère sont partie prenante, le christianisme humaniste faisait recours au scepticisme, à l'imitation de Lactance (le plus publié des Pères à la Renaissance) qui, dans les *Diuinæ institutiones* (édition *princeps*, 1465), usait des armes de la sceptique, prises dans les *Academica* de Cicéron, à fin de persuasion. Ce fut tout le fond du *De vero falsoque bono* de

---

18 Je me permets de renvoyer ici à mon étude sur l'œuvre encomiastique de La Fontaine, "La parole courtisane de La Fontaine: une autobiographie", *XVIIe Siècle*, 187(2), 225-238.

19 Se reporter à l'ouvrage de François-Xavier Cuche, *Une pensée sociale catholique. Fleury, La Bruyère, Fénelon*, Paris, Le Cerf (coll. "Histoire"), 1991.

Lorenzo Valla (1431)[20]. Il existe aussi un usage augustinien des modes sceptiques, lorsque ce qu'un critique a nommé le "denial of discoverability"[21] rejoint un souci de tenir à distance la *libido sciendi*. Si tel est le cas de La Bruyère, on pourrait voir dans les *Caractères* un essai d'apologétique qui, en peignant les contradictions des mœurs telles que leurs acteurs les vivent, use d'une arme sceptique (le deuxième mode) afin de provoquer une sorte de commotion et de prise de conscience. Mais cela n'exclut pas de considérer le geste du moraliste comme un acte de sophistique sociale, l'affirmation d'un expert en affaires humaines dont la liberté de ton, railleuse ou véhémente, signale qu'il reste maître de son livre et laisse ses lecteurs face à eux-mêmes.

Si telle est la position théorique de l'écriture moraliste, son art du vacillement, elle penche alors vers le scepticisme et abandonne de la sophistique le meilleur, sa pédagogie. Elle permet alors de rouvrir la question de l'héritage sceptique des moralistes et de placer La Mothe Le Vayer en relais vers La Bruyère, dans l'élaboration d'une rhétorique des mœurs politiques dont sortira bientôt l'*Esprit des lois*.

---

[20] Voir l'article de Letizia A. Panizza, 84-92.

[21] Burnyeat, *art. cit.*, 15. Une opposition est indiquée entre les sceptiques pyrrhoniens qui se refusent à décider (Sextus Empiricus) et les sceptiques académiques qui pratiquent le déni de découverte du vrai.

CHAPITRE SEPT

Ethique de l'inconfort

Les difficultés soulevées par l'instruction du Prince, c'est-à-dire par la formation du politique – faut-il rappeler que le Prince *est* le Souverain: la seule véritable formation politique est donc celle de ce Souverain-là –, les embarras provoqués par les vicissitudes des relations intellectuelles, les mouvements de rapprochement et de distanciation qui façonnent celles-ci et nourrissent la réflexion sceptique sur la *polis*, la part du feu ménagée par l'amitié, tout cela se noue et se résoud peut-être dans l'affirmation d'une autonomie intellectuelle qui tranche sur la docilité affichée de la génération de 1660. Les rapports de la réflexion sceptique avec l'élaboration de cette autonomie sont au cœur du classicisme.

Sainte-Beuve, qui se trompe rarement dans ces matières, relate un épisode crucial de la carrière de François de Maucroix, l'ami de La Fontaine:

> C'est pendant qu'il était à Rome que Maucroix reçut de La Fontaine ce récit moitié vers et moitié prose qui contient la description des *Fêtes de Vaux*, et qui était une sorte de dépêche poétique tout en l'honneur du surintendant (août 1661). On sait l'éclat et la catastrophe du lendemain: Maucroix en eut le contre-coup [...] Revenu après cet orage à ses loisirs de Reims, Maucroix, comme le pigeon voyageur rentré au nid, se promit bien de s'y tenir coi et de plus quitter ses amis et compères[1].

Jusqu'à l'Assemblée du Clergé (1682) dont Maucroix assurera les fonctions de secrétaire, il mènera donc une existence que Paul

[1] C.-A. de Sainte-Beuve, *Causeries du lundi*, 16 vol., Paris, Garnier, s.d., X, 228.

Manuce aurait qualifiée, pour des raisons similaires, de *recessus*[2] – éviter les ennuis et s'entourer d'amis. "A la veille d'éclater dans sa plus belle floraison" (Sainte-Beuve)[3], le milieu littéraire des années 1660 commence aussi à apprendre que la retraite[4] n'est pas nécessairement la Charente de Guez de Balzac: elle peut être simulée, manière de *recessus* à l'intérieur de soi-même, de quant-à-soi intellectuel et même de *dissentiment*. Si cette période des Lettres françaises se marqua par une "naissance de l'écrivain"[5], elle vit cependant se développer un art de la dissidence parfois raffiné, chez un La Fontaine[6] ou un Saint-Evremond, en un art de vivre. La naissance de l'écrivain s'accompagna d'un scepticisme cultivé envers le pouvoir et ses réseaux. Une invention ne va pas sans l'autre.

Le nœud de cette question se trouve dans la formule chère à La Fontaine, "Diversité, c'est ma devise". Sous le glacis classique, le divers. Mais quel sens à donner à ce mot de "diversité" et qu'en déduire pour son corollaire politique et éthique: comment exprimer son désacord, comment entrer en dissidence, comment exprimer la divergence? Il ne suffit pas de dire que *De l'inconstance de nos actions*[7] jette une ombre portée sur le façonnement du moi au XVIIe. Il faut aller plus avant et s'interroger sur le "dispositif" de la diversité sous l'autocratie louis-quatorzienne et questionner les stratégies de fonctions qui rendent pouvoir et savoir indissociables[8].

Le premier document à verser au dossier, un essai de La Mothe Le Vayer, dans la *Promenade* (1662-1664)[9], le *IIIe Dialogue*:

> Ne serons-nous pas contraints d'avouër, que l'homme est le plus divers & le plus bizarre de tous les animaux [...] L'homme seul diffère de tous ceux de son espèce; autant de têtes autant de fantai-

---

[2] Christian Mouchel, "Paul Manuce épistolier: Grandeur et misère de l'écrivain cicéronien", déjà cité.

[3] Sainte-Beuve, *op. cit.*, II, 183 (causerie sur Huet).

[4] Bernard Beugnot, *Le discours de la retraite*, déjà cité.

[5] Alain Viala, *La naissance de l'écrivain*, déjà cité.

[6] Marc Fumaroli, *Le Poète et le Roi, Jean de La Fontaine en son siècle*, Paris, De Fallois, 1997.

[7] Montaigne, *Essais*, II, 1.

[8] Pour une claire analyse de ce terme chez Michel Foucault, voir David M. Halperin, *Saint=Foucault. Towards a Gay Hagiography*, nouv. éd., Oxford, Oxford University Press, 1997, 40 et 188-9 n 6.

[9] La Mothe Le Vayer, *La Promenade* in *Œuvres*, I, 690-758=IV/1, 1-272.

> sies différentes sur toutes choses, où chacun s'opiniâtre, étant persuadé qu'il possède seul le meilleur usage[10].

Formulation qui semble banale, catégorie un peu floue des modes de pensée depuis au moins la Renaissance[11]. Mais c'est cette appartente banalité qu'il faut interroger. Sous le *topos* se cache un "dispositif". Immédiatement, cette réflexion est la somme du dialogue mis en scène par La Mothe Le Vayer entre Tubertus Ocella – lui-même – et Marcus Bibulus, autrement dit Samuel Sorbière (1615-1670)[12], le biographe de Gassendi: l'aveu de diversité sert de toile de fond à une méditation sur la vie contemplative, la retraite, l'*otium*[13]. Bibulus vient de faire reproche à Ocella de son goût trop prononcé pour les promenades en solitaire, à quoi celui-ci rétorque que le déclin de l'amitié dans les relations intellectuelles, entraînant avec lui le déclin de la conversation savante, conduit ceux de son tempérament à chercher refuge dans le soliloque et la solitude[14].

D'un seul geste La Mothe Le Vayer pose une question complexe où la dialectique du privé et du public, de la liberté et de l'aliénation, du politique et du critique se donne pour moteur d'une vie sociale où l'homme de lettres n'est plus certain de son rôle – sauf à sauter le pas et, comme Charles Perrault par exemple, à accepter et illustrer la nouvelle technocratie intellectuelle[15]. Analyser le *topos* de la diversité ressortit à réfléchir sur la nature et la fonction des relations entre intellectuels, dont La Mothe Le Vayer observe le durcissement, qu'il range sous un autre *topos*, celui de l'"opiniâtreté"[16].

---

[10] *Ibid.*, 716=105.

[11] Gilbert Dubois, *L'imaginaire de la Renaissance*, Paris, Presses Universitaires de France (coll. "Ecriture"), 1985, 60-63.

[12] Samuel Sorbière avait travaillé à une traduction de Sextus dans les années 1630.

[13] Sur le dispositif de l'*otium*, se reporter à Marc Fumaroli, Philippe-Joseph Salazar et Emmanuel Bury (éds.), *Le loisir lettré à l'Age Classique*, déjà cité.

[14] *La Promenade*, 1er Dialogue, 695=21-23.

[15] Voir l'édition pleine d'esprit de Jean-Pierre Collinet: Charles Perrault, *Contes*, Paris, Gallimard/Folio (1281), 1981. Sur la technocratie savante, Blandine Kriegel, *L'histoire à l'Age Classique*, nouv. éd. (1ère éd., 1998), Paris, Presses Universitaires de France (coll. "Quadrige", 231-33), 1996, 4 vol.

[16] La Mothe Le Vayer-Tubero avait déjà inscrit dans les *Quatre dialogues faits à l'imitation des Anciens* un dialogue (le troisième) sur ce thème 1630). Se reporter à l'édition procurée par A. Pessel.

La *Promenade* est avant tout une mise en scène de ces *topoi*. Dialogue entre amis et savants, dans la longue tradition renaissante, le texte est strictement parlant une *fictio*, la narration de quelque chose qui pourrait bien avoir (eu) lieu mais qui n'a pas eu lieu. Un soliloque de La Mothe Le Vayer avec lui-même, qui s'offre comme un dialogue. Cette rencontre entre Ocella, Bibulus et Litiscus (La Peyrère) est fictive, c'est-à-dire vraisemblable.

Pour suivre de nouveau Barbara Cassin sur ce sujet[17], la *Promenade* n'est pas une fiction fomentée pour tromper ses lecteurs (un *pseudos*) ni la relation d'un événement (une *historia*) mais un *plasma* – une fiction vraisemblable. La Mothe Le Vayer, dans l'échange amical des dialogues, simule une situation de transparence et d'empathie entre des amis dont la "diversité" est une condition du dialogue. La Mothe Le Vayer propose un scénario[18] sur l'art de ne pas être d'accord, sur la nécessité de ne pas être serf de l'opiniâtreté, sur un éloge de la vie privée. Le dernier dialogue, entre Ocella et Litiscus, se referme sur "parler selon (son) cœur [...] avec sincérité"[19].

Qu'est-ce à dire? Il y a là un effet de cache. L'argument de La Mothe Le Vayer, pour doux et souriant qu'il soit – privé, amical et conciliant –, est cependant, à l'image de Pallas, fortement armé. Sans le dire, mais toute son œuvre le révèle, La Mothe Le Vayer a posé sur son visage le masque du "Divin Sexte", et la *Promenade* est une reprise des *Hypotyposes pyrrhoniennes* de Sextus Empiricus.

Sextus Empiricus pose la question de la diversité au cours d'une polémique contre les philosophies (la Stoa en particulier) qui affirment la possibilité d'un "art de vivre"[20]. Le Divin Sexte soutient qu'une telle "technique d'existence" (comme on peut aussi traduire l'expression grecque), qu'elle qu'en soit la formulation éthique (stoïcienne, épicurienne ...) est simplement impossible à défendre. Pour quelle raison? Parce que nous sommes incapables – c'est la

---

17 Barbara Cassin, *L'effet sophistique*, cité ailleurs dans ce livre.

18 Cassin, *op. cit.*, 473-484.

19 *La Promenade*, 9e Dialogue, 757=271.

20 Sextus Empiricus, *Outlines of Pyrrhonism*, III, xxiv-xxxii, 188-281 in *Works*, trad. en anglais par R. G. Bury, Londres, W. Heinemann (coll. Loeb Classical Library"), 3 vol.

position sceptique – de déterminer ce qui est bon, mauvais ou indifférent pour nous-même, immédiatement ou après mûre réflexion. Il n'existe pas de "technique" pour nous aider à mesurer l'impact d'événements que nous ne contrôlons pas – *la vie*, comme on dit – et donc à mettre en œuvre des réactions adéquates. Il n'existe pas d'éthique à coup sûr.

La conséquence la plus directe serait que la sagesse, bref l'art de vivre, ne saurait être l'objet ni d'un enseignement ni d'un apprentissage. La vie donne bien des leçons – pas les moralistes ou les philosophes. La sagesse, ou l'art minimal de vivre, revient à manœuvrer au plus serré, à ne pas s'imaginer avoir à sa disposition un arsenal de techniques, mais à jouer au coup à coup. Sextus Empiricus appelle cela *diaphora*, une cure contre le dogmatisme éthique[21]. S'il existe un art de vivre, il ne s'exerce pas selon des règles mais il se fonde sur le fait constaté par le scepticisme de cette nature humaine dont les manifestations sont trop variées, trop inattendues, trop "diverses" pour pouvoir être cataloguées à l'avance comme bonnes, mauvaises ou indifférentes (pour soi)[22].

En d'autres termes, il n'existe pas de *criterion* – comme les Stoïques l'affirment et, entendons La Mothe Le Vayer sous le masque du Divin Sexte, les Chrétiens aussi – pour conduire sa vie. L'existence est traversée de part en part de cet affrontement entre l'individu et les circonstances qui, toutes, inlassablement lui indiquent que le monde est un amalgame d'une "diversité d'usages" laquelle empêche tout homme qui sait prend mesure de soi-même de porter des jugements définitifs ou définis. L'expression grecque *anomalia ton pragmaton*, La Mothe Le Vayer la traduit justement par "diversité des usages"[23]. Par nature l'homme, avec ses pratiques sociales et culturelles, est *a-nomal* – hors des règles dont l'idéologie veut lui faire accroire qu'elles sont non seulement des normes infaillibles pour l'action et le jugement mais encore "naturelles". Pour bien vivre (agir et penser afin de pleinement se réaliser –"assumer" comme on dit de nos jours, et l'expression n'est pas sotte)

---

[21] *Ibid.*, xxxii, 280.

[22] *Ibid.*, xxiv, 235.

[23] La question de la diversité s'articule à la question plus fondamentale du même et de l'autre dont j'ai tenté d'esquisser des tenants et aboutissants dans ma conférence plénière, "Des Aristotéliciens de l'*autre*", Tübingen, Gunter Narr, coll. "Biblio 17", 117, 1999, 213-222.

il convient d'accepter l'*anomalia* et de tourner la conscience que l'on en a en un art de vivre qui ne soit pas une *tekhnê* mais....

"Mais"? La parole est à Saint-Evremond, dans l'essai offert au *Maréchal de Créqui* [24] si nous voulons comprendre, sans tomber dans la chausse-trape du dogmatisme éthique, ce qu'implique ce "mais".

Voici dix ans que Saint-Evremond est en exil – par prudence autant que par nécessité[25] – lorsqu'il se résoud à confier à Créqui le sommaire de son art de vivre (et c'est un des sens que l'on peut donner au moderne "s'assumer", faire son propre sommaire). Les circonstances qui entourent l'essai ne sont pas sans ressembler à celles sous lesquelles peinait La Mothe Le Vayer lorsqu'il mit la plume à sa *Prose chagrine* (1661). L'essai envoyé *A M. le Maréchal de Créqui* (écrit en 1671) serait la "prose chagrine" de Saint-Evremond. L'essai trouve son mouvement oratoire, dans cette lettre par sauts et glissades:

> Notre jugement doit toûjours estre le même. Il nous est permis de vivre et non pas de juger selon nostre humeur [...] Mon imagination n'ayde pas mon goût à trouver plus delicat ce qui est plus rare, mais je veux du choix, dans les choses qui se rencontrent aisement, pour conserver une délicatesse separée de tout agrément de fantaisie[26].

Deux leçons à tirer de cette citation.

Premièrement Saint-Evremond distingue entre vivre et juger selon le critère du tempérament. L'art de vivre – s'il existe – revient à suivre son tempérament, son humeur, qui sont inconstants, fugaces, capricieux. Le tempérament n'implique pas ici de déterminis-

---

[24] Charles de Saint-Evremond, *A M. le Maréchal de Créqui*, IV, 103-139 in *Œuvres en prose*, éd. R. Ternois, Paris, Didier (coll. "STFM"), 1962-969, 4 vol. Ci-après, *Créqui*. On attend la parution des actes du colloque de Cerisy consacré à Saint-Evremond (septembre 1998).

[25] Rappelons que Saint-Evremond quitte la France vers la fin 1661, à la suite de l'arrestation de Foucquet (le 5 septembre) et de la découverte, en octobre, de sa merveilleuse *Lettre sur la paix* <des Pyrénées> (juin 1659, publiée en 1664) parmi les papiers de Madame du Plessis-Bellière (voir *Œuvres*, I, 111-128). Survient la chute de Jacques II, Saint-Evremond reçoit notification qu'il peut rentrer (1688). Il refuse (voir la Préface par Pierre Silvestre, 1705, citée dans *Œuvres*, I, xxxix).

[26] Saint-Evremond, *Créqui*, 109-110.

me psychologique (le mélancolique serait ceci ou cela). Il est, au contraire, le lieu de l'indétermination. A rebours, il existerait un art de juger de la vie qui lui resterait constant pour chacun. Que signifie cette distinction? Simplement, que l'art de vivre – s'il existe – consiste à constamment se garder de déduire des délices que nous prenons à suivre ce que Nietzsche, relisant les moralistes du Grand Siècle, appellera des préjugés, un principe réel et constant d'action. Lorsque l'imagination nous fait substituer les deux catégories, et nous induit, éloquence de l'amour-propre, à agir comme nous jugeons, nous tombons dans les mirages de la "fantaisie". La "fantaisie" n'est autre que l'effet de l'inconstance qui se travestit en effet du jugement – être "délicat" c'est savoir choisir selon son jugement, et savoir que nos actions sont a-nomales. En d'autres termes l'amour-propre nous empêche de nous "assumer" (de nous "approprier" nous-mêmes – une autre connotation du mot) et ne nous donne que l'illusion de posséder un art de vivre, là où nous n'avons que des préjugés et le pire d'entre eux (bref, le pré-jugé sous tout préjugé): que tout est jugé d'avance. Saint-Evremond applique son analyse, sur un ton déjà voltairien mais encore pyrrhonien, aux illusions religieuses[27].

Il avait préparé le terrain dans le bel essai intitulé *L'homme qui veust connoistre toutes choses ne se connoist pas luy-mesme* (écrit en 1647 et publié en 1668)[28]. En surface il semble que Saint-Evremond y traite de l'immortalité de l'âme et que, dandy londonien, il fasse une surenchère de *wit* sur Montaigne et l'*Apologie de Raimond Sebond* pour mieux montrer à son lecteur – Gassendi – les impasses sur lesquelles on débouche si d'aventure on se laisser aller à sa "fantaisie". L'essai, exquis *ad libitum* d'une conversation comme émanée du salon de Madame de Sablé, déroule ses vocalises entre deux passages obligés:

> Vous n'estes plus si sociable que vous estiez; je suis trompé si vos meditations ne vous ont pas osté vostre belle humeur [...] Je le repete pour la derniere fois, Monsieur, travaillez tant qu'il vous plaira pour vous conoître, consultez tous vos Livres, comsumez vos plus beaux jours à mediter sur l'Immortalité de l'Ame[29].

---

27 *Ibid.*, 102-121.
28 Saint-Evremond, *L'homme*, II, 116-139 in *Œuvres*.
29 *Ibid.*, 116, 133.

C'est, en quelque sorte, le revers de la médaille: lorsque le jugement se mêle de "fantaisie" et que l'amour-propre se travestit en jugement, l'homme cesse d'être sociable. Par amour-propre, il abdique la qualité première de la sociabilité, avoir pleine consience que les relations humaines – l'art du *socius* – sont de l'ordre du transitoire, de l'"humeur", du fugace ("Les uns amoureux d'eux-mesmes aident leur imagination à se flatter")[30].

Or, ce terme de "fantaisie", pivot de l'analyse, n'est évidemment pas innocent. Chez La Mothe Le Vayer comme chez Saint-Evremond, il est hérité du glossaire néo-stoïcien, massivement présent dans la réflexion éthique du XVIIe siècle[31]. *Glossaire* en effet plus que *philosophie*, et c'est là un des effets les plus banals mais aussi un des plus inaperçus des "dispositifs" discursifs. Que dit le glossaire? *Phantasia* définit la représentation des impressions sensorielles provoquées par une cause extérieure (ou *phantaston*) sur l'âme – c'est la lecture de Juste Lipse[32]. Par inférence l'entendement est alors capable d'arriver à discriminer le vrai du faux, la *theoria* menant à l'action, la connaissance phantastique se traduisant en comportements régulés d'où chacun déduit un art de vivre, une technique de discernement des faits qui sert à se protéger contre les coups de la vie – contre la nature "diverse" du monde – et à établir ce qui est bon pour soi. Filtrée par Juste Lipse[33], l'éthique stoïcienne admet le pouvoir de la "fantaisie".

Or La Mothe Le Vayer et Saint-Evremond lui assignent le mauvais rôle. A leurs yeux la "fantaisie", loin de se trouver à l'origine d'un processus de fabrication des idées et de validation des opinions, est l'exacte raison de l'incapacité où se trouve l'individu de discriminer vraiment entre bon et mauvais (et leurs permutations idéologiques, vertu et vice, utile et nuisible...). Quelle que soit la croyance à laquelle arrive un individu par le processus de la *phantasia* (opinion faillible, opinion infaillible, connaissance vraie)[34], le résultat en reste "l'opiniâtreté" – cette certitude obstinée, née des

---

30 *Ibid.*, 130.

31 John L. Saunders, *Justus Lipsius. The Philosophy of Renaissance Stoicism*, New York, The Liberal Arts, 1955.

32 La source est Juste Lipse, *Manuductionis ad stoicam philosophiam libri III* in *Opera omnia*, Wesel, 1675.

33 Saunders, *op. cit.*, 89-110, sur le cas difficile des *indifferentia* en particulier.

34 David Sedley, "The Motivation of Greek Scepticism", in M. Burnyeat (éd.), *The Skeptical Tradition*, 7-29.

œuvres de l'amour-propre, qui est aux antipodes de la "délicatesse", l'art des choix. Par des voies différentes (mais le sont-elles véritablement?), La Mothe Le Vayer et Saint-Evremond sont ainsi conduits à proposer que l'individu est face à des choix constants qu'aucune règle préconçue puisse l'aider à effectuer et que, sauf à tomber sous les effets de l'amour-propre, il doit accepter de vivre dans un univers divers, singulier – individuel précisément. S'il n'existe pas d'autre moyen pour affirmer son autonomie que de faire montre d'*ataraxia*, celle-ci n'est pas simplement le repos issu de la suspension du jugement (ce nœud gordien de l'action et du jugement) mais la distance radicale insérée par l'individu entre le jugement et l'action[35].

Le meilleur exemple littéraire qu'on puisse trouver d'une telle éthique sceptique, et par quoi on puisse mieux toucher du doigt sa dimension politique? *Dom Juan* de Molière. Patrick Dandrey a justement montré combien Molière s'efforce de ne pas offrir de solution à la question de la foi religieuse[36]. La question est ir-résolue, suspendue entre les arguments *pro et contra*. *Dom Juan*, ou la Divine Sceptique au théâtre. Mais à quelle fin? Quel est le but de cette représentation *a-éthique*? Pourquoi donner aux uns et aux autres des armes, à armes égales?

La réponse a été formulée par Saint-Evremond. A chacun de "s'assumer" et de tirer le jugement qui convient pour la conduite de sa propre vie – en sachant être "délicat" toutefois, être conscient que la foi comme le manque de foi ne résistent pas à l'analyse mais que, dans certaines situations, il faut agir sans s'imaginer que l'on fasse autre chose que vouloir affirmer son autonomie face au pouvoir: on n'écrase jamais l'"infâme" – religieux ou politique -, on passe à côté de lui, à la périphérie, à Sceaux chez la duchesse du Maine, ou à l'étranger, à Londres chez la duchesse de Mazarin, chez la laide Louise et chez la belle Hortense, des fées.

Parfois les dates parlent: le *Dom Juan* de Molière (1665), les *Homilies academiques* de La Mothe Le Vayer (1664-1666) et ses

---

[35] Sextus Empiricus, *Adversus mathematicos*, XI in *Works*. Voir l'analyse toujours pertinente de V. Brochard, *Les sceptiques grecs*, Paris, Imprimerie nationale, 1887, 331-380.

[36] Patrick Dandrey, *Dom Juan ou la critique de la raison comique*, Paris, H. Champion (coll. "Bibliothèque de Littérature", 18), 1993.

Soliloques sceptiques (1668-1670), les *Maximes* de La Rochefoucauld (1664-5, 1666, 1671) et les textes de Saint-Evremond qui ont été évoqués sont contemporains les uns des autres.

Sans entrer ici dans les débats sur l'ambiance augustinienne à laquelle les *Maximes*[37] furent perméables (selon l'excellente formule de H. C. Clark, "a moral laundering", un lessivage moral)[38], il est possible de souligner à quel point La Rochefoucauld fut en fait tributaire de la Divine Sceptique. Comme tous les sceptiques, il s'intéresse avant toutes choses aux comportements: sceptiques et moralistes sont des experts sur la "diversité des usages".

L'anthropologie morale des *Maximes* est toute traversée d'une question dérivée de la "diversité", celle de l'inconstance. Il existe, à l'œuvre dans nos passions, une force de persuasion qui nous mène à nous enferrer. Nous sommes des inconstants de l'opiniâtreté. La dualité constance/inconstance[39] est la catégorie, opératoire dans les *Maximes*, pour rendre compte de l'aporie concernant notre a-nomalité selon Sextus Empiricus. Mieux, la réflexion sur l'amour-propre s'appuie sur la certitude affichée par les *Maximes* que, s'il existe effectivement un *criterion* pour distinguer le bon du mauvais (et leurs permutations), un tel critère ne saurait être que l'amour-propre lui-même. L'amour-propre serait cette faculté de se protéger contre les dangers – sociaux, publics – de l'opiniâtreté[40].

Que signifie dans cette optique: "C'est une grande folie de vouloir être sage tout seul"?[41] Ceci: on ne saurait atteindre à la sagesse (entendez: un art de vivre) qu'en acceptant la "diversité" de ses opinions et de celles des autres, qu'en développant un art délicat d'agréer l'a-nomalie. La solitude du fol est dans l'amour-propre. Mais, tout aussi bien, la solitude du sage est dans l'amour-propre – lorsque l'individu retire de l'*ataraxia* le sentiment de bien-être, et de bien penser, qu'évoque le refus de prendre parti dans la diversi-

---

[37] La Rochefoucauld, *Maximes et réflexions diverses*, éd. J. Lafond, Paris, Gallimard/Folio (728), 1976.

[38] H. C. Clark, *La Rochefoucauld and the Language of Unmasking in Seventeenth-Century France*, Genève, Droz (coll. "Histoire des idées et critique littéraire", 336), 1994, 117.

[39] La Rochefoucauld, *Maximes*, 175-181.

[40] *Ibid.*, M. 234, M. 265 et M. 424.

[41] *Ibid.*, M. 231.

té, mais seulement pour la diversité. C'est ici que l'"humilité"[42] est à son tour opératoire: ce serait la bonne traduction pour *ataraxia*. Pour quelle raison? Le fait est que La Rochefoucauld use "humilité" contre "pénétration"[43]. La "pénétration" caractérise en effet un tour d'esprit, lorsque vous passez à côté de la cible par excès de visée – l'art (de vivre?) est de savoir quand et où s'arrêter et d'être pénétré du fait que, au bout du compte, un acte, une opinion, une passion, un livre même peuvent avoir une valeur d'usage *inattendue*. Le concret est toujour indécidable.

Si La Rochefoucauld affirme la pertinence de la "sincérité" c'est que celle-ci est l'autre opérateur d'*ataraxia*, un garde-fou contre la pénétration, qui aide, avec l'humilité (traduisible simplement par: avoir le sens du terrain), à se garder de l'illusion de pénétration – la sincérité fait partie d'un dispositif d'action qui n'est que marginalement – sémantiquement – augustinien[44]. Derechef, il ne faut pas prendre l'utilisation d'un glossaire pour l'adhésion à une éthique ou une métaphysique.

Le sceptique apprend à "manager" – le terme apparaît en Angleterre vers cette époque, dans la sphère du politique – sa vie, et à se ménager soi-même autant qu'à se ménager un espace d'autonomie. Une "économique" (un ménage et un management, pour paraphraser Xénophon) du moi privé et du moi public.

Un texte de Saint-Evremond offre une analyse qui poursuit la pensée de La Rochefoucauld et révèle à quel point l'art des moralistes s'arrime au développement non pas tant d'un "art de vivre" que d'un art de ménager son existence – des techniques de survie. Il s'agit du beau *Jugement sur Sénèque, Plutarque et Pétrone* (1664)[45].

Saint-Evremond entame son "jugement" sur Sénèque, une pièce épidictique s'il en est – caractérisée au demeurant par le recours à l'amplification, comme le recommande Aristote –[46], par un para-

[42] *Ibid.*, M. 358.

[43] *Ibid.*, M. 377.

[44] Jean Lafond, *La Rochefoucauld. Augustinisme et littérature*, Paris, Klincksieck, 1977.

[45] Saint-Evremond, *Jugement*, I, 144-168 in *Œuvres* (texte de l'édition par Claude Barbin, 1664).

[46] Voir la meilleure édition, due à George A. Kennedy: Aristotle, *A Theory of Civic Discourse. On Rhetoric*, New York/Oxford, Oxford University Press, 1991.

doxe: "J'estime beaucoup plus sa personne que ses Ouvrages"[47]. Usant de la distinction épidictique, déjà signalée, entre l'éloge des faits (*enkômion*) et l'éloge du sujet lui-même (*epainos*), Saint-Evremond tourne le paradoxe de sa formulation en une vie paradoxale. Sénèque est un paradoxe: l'exilé londonien condamne le style de l'homme d'Etat romain, "toujours forcé", afin d'insinuer que Sénèque lui-même est le produit de son style. Le style sénéquien serait une stratégie d'obfuscation dont Saint-Evremond veut livrer le secret dans cette terrible formule (qui n'est donc pas une *sententia* sénéquienne):

> Et il est ridicule qu'un homme qui vivoit dans l'abondance, et se conservoit avec tant de soin, ne preschât que la pauvreté et la mort[48].

Passant à Plutarque, Saint-Evremond choisit une autre tactique: il place son éloge sous l'égide de Montaigne, avant de focaliser son attention sur la *Vie de Brutus*. Pour quelle raison? Parce que cette *Vie* lui offre l'occasion de présenter à vif l'idée qui commence d'affleurer: *Facta dictis exæquata sunt*[49]. Brutus? Voici: "(la) force naturelle dans (un) discours [...] egale les plus grandes actions"[50]. Plutarque? Tel: "naturel et persuadé le premier" de ce dont il veut convaincre ses lecteurs[51]. Saint-Evremond, dévidant une sorte de syllogisme rhétorique au fil, fermement tenu en main, de sa plume, suggère, par cette inférence de la vie de Brutus au style de Plutarque, que le succès de celui-ci pourrait être dans son "éloquence" – aussi forte que des actes – mais que ce n'est pas le cas. A Plutarque fait défaut la capacité d'apercevoir la "diversité des usages" en réduisant eux-ci à sa propre mesure: "Il a jugé de l'homme trop en gros, et ne l'a pas crû si different qu'il est de soy-mesme"[52]. Saint-Evremond aura donc introduit Plutarque dans ce *Jugement*, qui est une manière de *Vies croisées* plus que de *Vies parallèles*, afin d'illustrer deux paradoxes: Sénèque ne traduit pas son style

---

47 Saint-Evremond, *Jugement*, 154.
48 *Ibid.*, 159.
49 *Ibid.*, 163 n. 1, comme le signale Ternois, Saint-Evremond cite à sa façon Salluste, *Bell. Cat.*, III.
50 Saint-Evremond, *Jugement*, 163.
51 *Ibid.*, 160.
52 *Ibid.*, 163.

de vie en style d'écriture[53], Plutarque ne traduit pas le style de Brutus en style d'écriture. La conclusion qui surgit est celle d'une inadéquation entre le modèle mis en scène par le style et le modèle par lui dénié.

Pétrone entre alors en jeu. Question d'actualité? Peut-être. Le fragment de Trau livrant la *Cena Trimalchionis* venait d'être découvert, allumant une controverse entre Chapelain et Ménage, et qui s'éteindra en 1664 précisément par la publication du texte à Padoue – 1664, Saint-Evremond publie ensemble le *Jugement* et sa traduction de l'épisode de la *Matrone d'Ephèse*[54]. La tension entre le style de vie et le style d'écriture – on devrait simplement dire "éloquence" – est cœur du débat sur l'authenticité du fragment. L'argumentation de Saint-Evemond est limpide: la mort de Pétrone est en harmonie avec son style de vie lequel est congruent avec son éloquence – "politesse ingénieuse"[55]. Le fragment scandaleux n'a donc pu être écrit que par lui. La controverse est résolue non pas sur des critères philologiques – pourquoi le fragment n'est-il pas aussi "délicat" que le reste? – mais sur une leçon d'éthique. Pétrone n'est pas un paradoxe, même s'il est stupéfiant de violence.

A chaque lecteur, invite Saint-Evremond, de tirer les conséquences pour soi-même de cette terrible leçon d'autonomie intellectuelle. Sauf à vouloir vivre paradoxalement, être un Sénèque (Tartuffe?) ou un Plutarque (Retz?), le lecteur peut décider d'être un Pétrone – dont l'autonomie se signe dans un suicide, ou la simulation civilisée du suicide politique – le silence. Ou bien encore, l'exil. Le lecteur du *Jugement* est laissé face à un choix. Et d'un tel choix il n'existe aucune règle, aucun "art de vivre" qui puisse fournir le confort d'une immédiate solution. L'autonomie intellectuelle est à ce prix: l'inconfort.

---

[53] J'use ici du terme de "style" dans le sens culturel et social que lui a donné Peter Brown, *The Making of Late Antiquity*, Londres/Cambridge, Mass., Harvard University Press, 1978.

[54] Saint-Evremond, *Jugement*, 147-8 et 187-195.

[55] *Ibid.*, 164.

CONCLUSION

Les “Nuits de Sceaux” du scepticisme

Inconfort, vraiment? Dans le troisième volume des *Opuscules*, lorsque La Mothe Le Vayer, qui le dédicace au Cardinal Mazarin pour signifier ses adieux au préceptorat royal (Louis XIV venait d’épouser l’infante), en affirmant, sourire en coin, que “mon devoir qui se termine au service particulier de Vôtre Eminence, ne m’engageoit pas à rendre mon travail public”[1], le grand sceptique, se retournant sans aucun doute sur la joie de cette vie de cour et de cette vie de lettré bien en cour, mais en en sachant le prix, s’amuse à traiter de “la bonne chère”[2].

L’opuscule est aimablement coincé entre un essai “Des offenses” et un petit traité “De la lecture des livres”. Les plaisirs de la table, et de la conversation repue et joyeuse à quoi mène le partage des mets, modelée sur le symposium platonicien, servent de contrepoids et de calmant à l’excitation de la médisance, dont on a vu la position plus haut, laquelle tourmente “l’usage de la vie”, et de complément naturel aux nourritures de l’étude, “les filles de Mnémosyne” qui parlent à table comme elles conversent dans les livres[3]. La bonne chère c’est évidemment la chère de la conversation, soutenue des plaisirs de la table, antidote aux dangers d’être “autodidacte”. Bref, un usage concerté, et concertant, de l’étude passe par les saveurs, les senteurs et les bouquets, un montage, une leçon de choses sur la *gaya scienza* sceptique.

---

1 La Mothe Le Vayer, *Œuvres*, I, 391=II, 2, 302.
2 *Ibid.*, VI, “De la bonne chère”, I, 427-436= II, 2, 447-481.
3 *Ibid.*, 427, 439=447, 496.

Selon son habitude, c'est par le biais que La Mothe La Vayer traite du sujet – il s'attache à parler des antipathies.

> En effet il y a des antipathies de table qui ne se peuvent corriger, & qu'on doit par consequent éviter avec grande précaution. L'Histoire d'Espagne nous apprend qu'un Roi de Grenad, Mahometan, fut tué par les siens, pour avoir mangé avec Alphonse de Castille qui étoit Chrêtien. Et la nôtre noius fait voir un Roi de Bretagne qu'elle nomme Judicaïle, qui refusa par religion de diner avec le Roi Dagobert, préferant la table du Réferendaire Dadon, qui vivoit saintement, ce lui sembloit, à celle de Sa Majesté, bien que ce Breton lui fût venu faire la foi & hommage [...] il est à propos de ne mettre la nappe qu'à ceux dont on a reconnu les complexions[4].

De cette vive expression "ne mettre la nappe" qu'à ceux dont les humeurs d'accordent à la nôtre, que déduire, puisque, dans l'art de l'argumenation sceptique et du style de vie qu'elle soutient et nourrit, le recours aux images et aux tours de phrase apparemment désinvoltes ressortit en réalité à une affirmation d'autonomie morale? L'argumentation conduite, *sotto voce*, par La Mothe Le Vayer se déroule dans un cadre précis, un banquet. Le sceptique, dont le mode d'action est toujours assujetti à l'examen de circonstances particulières, et jamais à des généralités, et à la pesée de ces conditions sur l'action, doit en effet faire apparaître sous les yeux de son interlocuteur, en un acte d'*enargeia* rhétorique nécessaire à l'empathie, le vif du sujet. Ici, il s'agit bien d'un des moments privilégiés de la conversation et du commerce des hommes, le temps apparemment libre du repas entre amis. Des repas il est souvent question au fil des lettres et des opuscules de la Mothe Le Vayer. Si ces arrêts dans la frénésie mondaine sont souvent qualifiés d'"orgie", c'est pour signifier la vraie joie que procure le repas amical.

La bacchanale sceptique est une manière de *trionfo* au cours duquel amis philosophes célèbrent à la fois l'impératif du plaisir à être entre soi – sans "aliénation des volontés"– et le plaisir pris à affirmer que c'est là l'occasion d'être soi-même. Dans ce va-et-vient entre l'autre et soi, se crée une véritable distance par rapport au monde. Les actions, qui dans l'univers extérieur de la délibération publique (la Cour dans le cas de La Mothe Le Vayer), sont le

---

4 *Ibid.*, I, 428=II, 2, 452.

le résultat de décisions irréfléchies (dans la mesure où le sceptique considère qu'on agit par irréflexion sur les préjugés ou parce que "la vie" impose d'agir), sans joie et sans morale - au sens d'*ethos*, bref: comment l'acte représente l'intégrité de l'agent –, peuvent paradoxalement être mises à l'écart dans la joie du commerce amical, et dans cet exil volontaire, affirmer la réflexion sceptique. Cet effet de suspension, et la liesse intellectuelle qui en découle, trouve son acmé dans le repas entre amis, bacchanale de la Divine Sceptique, triomphe de l'autonomie. Là se joue donc, dans la conversation symposiaque, le refus de l'antipathie. En choisissant deux cas extrêmes d'antipathie de table et en les reliant l'un et l'autre à la question de la "diversité" religieuse, La Mothe Le Vayer est extrêmement audacieux.

De fait, le premier exemple montre le prix que l'on paie lorsqu'on parvient à surmonter la plus forte des antipathies (la différence dans la foi): l'aliénation vis à vis des autres, ceux-là restés à l'extérieur du "banquet" amical, hors de ces fêtes intellectuelles qui, à l'instar des "Nuits de Sceaux" pour les mondains récalcitrants à la Cour officielle sous le règne alors finissant du monarque, illumineront le refus de la tyrannie. Et le second exemple, moins dramatique, souligne combien le choix d'un commensal est sujet à caution. Dans les deux cas, emblématiques comme toujours dans l'argumentation sceptique, la plus grande antipathie supposée se redouble d'une plus grand antipathie ou d'une illusion de sympathie. En ces termes, le repas sceptique s'affirme comme la métaphore du fonctionnement de la sympathie, et de l'antipathie: la recherche de l'autonomie intellectuelle engage le sceptique à construire des lieux de sympathie qui, en fomentant l'occasion d'activer le scepticisme (ne pas agir, se contempler n'agissant pas, jouïr de cette contemplation, bref une "orgie"), offrent, radicalement, la bonne fortune d'activer l'équilibre des *pathoi*: sympathie et antipathie sont des stratégies pour la métriopathie. La métriopathie "modère les passions" comme l'ataraxie, qu'elle complète et assure, "règle les opinions"[5]. Le commerce de commensaux sympathiques donne lieu à l'exercice métriopathique.

---

[5] *De la vertu des Payens*, "De Pyrrhon et de la secte sceptique", I, 191=V,1, 289.

La vraie “bonne chère” auxquels s’adonnent ceux qui servent les Filles de Mnémosyne, les “savants”, bref ceux qui pensent comme La Mothe Le Vayer et ont acquis, à fréquenter les livres – sujet de l’opuscule qui suit celui-ci –, que rien n’est sûr et tout est “divers”, c’est bien la bonne nourriture de la sympathie, à fin de métriopathie, loin des injures et des heurts, le sujet de l’opuscule précédent.

Mais cela revient à affirmer non pas tant la réalité des phénomènes d’antipathie ou de sympathie que la nécessité de les mettre à l’aune de la métriopathie. Les trois termes, en dépit de leur effet sonore, ne sont absolument pas équivalents. Les deux premiers sont des données de la vie civile, qui fonctionnent dans le domaine des relations civiles comme les préjugés fonctionnent dans le domaine des jugements moraux – dans l’“irréflexion” dont nous verrons quelle est la nature. Le troisième est une opération voulue, consentie, réfléchie de la morale sceptique. Bref la métriopathie n’est pas le terme médian entre les deux autres. Il est, absolument, l’autre terme.

La question que nous sommes en droit de nous poser est donc la suivante: en dehors de cette stratégie d’amitié, et cette recherche d’un mode sceptique pour atteindre à l’autonomie, et en raison de l’impact d’une telle réflexion sur l’inscription civile ou publique de l’antipathie, La Mothe Le Vayer n’est-il pas en fait à la recherche d’une définition pratique des rapports sociaux? Antipathie, sympathie, métriopathie ne sont-ils pas des arguments masqués pour proposer, à ceux qui veulent bien et savent y prêter l’oreille, une modèle de saisie du domaine public, de la sphère hors-amitié pour ainsi dire des relations civiles?

Il est impossible de mettre de côté et de faire semblant d’ignorer que le “Plutarque de la Cour” aura effectivement été le précepteur d’un roi (même brièvement) et plus encore celui d’un prince qui, de l’aveu des contemporains, montrait déjà, à vingt ans passé, au moment où La Mothe Le Vayer fait mine de quitter la Cour (en tout cas voit son soutien, Mazarin, disparaître), une trempe que Saint-Simon, Spanheim et les relations du temps affirment avec vigueur[6]. Est-il vraiment possible d’ignorer combien le préceptorat

[6] Voir les jugements dans Ezéchiel Spanheim, *Relation de la cour de France*, Paris, Mercure de France (Le Temps retrouvé, 26), 1973, 303.

d'un prince en qui les contemporains voyaient un modèle d'avant le règne personnel et la montée de la "fonction publique", tel que La Mothe Le Vayer le conçut, nourrit et guida la passion de Monsieur à s'assurer que ses enfants fussent parfaitement formés à régner (une reine d'Espagne, une souveraine de Savoie, une souveraine de Lorraine dont sortira la nouvelle dynastie impériale, et le Régent – quel art!)? La leçon principale que La Mothe Le Vayer, au-delà de l'immédiate formation d'un adolescent lui-même écarté de l'exercice du pouvoir, n'est-elle pas à discerner ici? Bref, l'éducation au moule sceptique contient une leçon de politique plus radicale encore que celle dont nous avons vu les haut les linéaments.

Or, étrangement, il faut faire ici un détour. Car, à lire La Mothe Le Vayer, on s'aperçoit qu'il est possible de passer de la réflexion sur le commerce privé de l'amitié, et l'art de manœuvrer entre antipathie et sympathie, afin de trouver ataraxie et métriopathie, à une réflexion sur la nature des relations civiles. De ce passage dépend en effet tout la force cachée, subversive et ironique, de l'éducation princière.

Un texte s'attache à ce détour et à ce passage. Il s'agit du *Discours de la contrariété d'humeurs* <entre les nations> *françoise et [...] espagnole*[7]. Le texte est politique; il s'inscrit dans les relations tourmentées entre la France et l'Espagne, il participe, dix ans avant le traité de Westphalie, d'un débat sur la rivalité entre deux modèles de culture[8], il argumente sur les raisons d'une "antipathie" politique. "La sûreté de soi du "génie espagnol" fut un mortel défi qui stimula l'affûtage d'un "caractère" français, et en précipita la définition sous Richelieu"[9]. Soit, mais comment un philosophe sceptique, qui observe la "diversité" des caractères nationaux comme il médite sur la sienne propre et celle de ses commensaux, s'engage-t-il dans ce débat?

---

[7] II, 89-108=IV, 2, 311-386. Le texte est une traduction d'un ouvrage de Fabricio Campolini. La Mothe Le Vayer assume le texte comme sien.

[8] Alexandre Cioranescu, *Le masque et le visage, du baroque espagnol au classicisme français*, Genève, Droz, 1983.

[9] Expression de Marc Fumaroli, dans sa préface à Baltasar Gracián, *La pointe ou l'art du génie*, traduction M. Gendreaux-Massalou et P. Laurens, s.l., L'âge d'homme (Idea), 1983, 9.

L'argumentation est relativement aisée à suivre. La Mothe Le Vayer part d'une accumulation d'observations, empruntées à Pline l'Ancien sur "le convenances ou repugnances naturelles" qui vont du minéral à l'animal ("le Diamant est en dissension avec l'Aimant", "le Chêne & l'Olivier exercent des inimitiés capitales", "le Lion ne peut souffrir la seule voix du Coq"), pour montrer comment "les plus grands esprits <qui ont> recours à des propriétés occultes", bref la "Magie naturelle", ne font par cette accumulation prétendue naturelle (puisqu'elle semble suivre l'ordre de la nature, et agit donc à titre de persuasion) que couvrir "nôtre insuffisance", avoir "l'esprit trop grossier & trop Elementaire"[10]. La Mothe Le Vayer suit la critique de Bacon sur "l'impureté" de cette partie de la philosophie naturelle qui "traite des sympathies & antipathies"[11]. La position baconienne est de rétablir le principe de causalité dans l'étude des phénomènes naturels, par l'observation. La fausse science de la sympathie et de l'antipathie ressortit à la première catégories d'"idols" identifiées par Bacon dans le *Novum Organum*. Penser la causalité naturelle en termes de contrariété ou d'attirance occulte, et tenter d'influencer leurs effets par des manipulations de *magia naturalis*, c'est succomber aux "idols of the tribe", à savoir:

> The idols of the tribe are inherent in human nature and the very tribe or race of man; for man's sense is falsely asserted to be the standard of things; on the contrary, all the perceptions both of the senses and the mind bear reference to man and not to the universe, and the human mind resembles those uneven mirrors which impart their own properties to different objects, from which rays are emitted and distort and disfigure them[12].

Succomber au "bon plaisir de la Nature" revient à succomber aux "idols" par lesquels l'homme, au contact des phénomène naturels qu'il veut expliquer, projette sur eux une propriété qu'il discerne en lui-même (attirance, répugnance). Expliquer ce qui est en dehors de soi par une fausse compréhension de soi-même, dans l'illusion que ce sentiment de l' intérieur qui se conforte d'une illusion

---

10 I, 319= IV,2, 320.

11 Francis Bacon, *The Advancement of Learning*, II, vii, 1, 2.

12 Francis Bacon, *Novum Organum*, Chicago, The University of Chicago Press, Encyclopedia Britannica, 1952, I, aphorisme 41, 109.

de maîtrise, fournit en retour les moyens d'expliquer et de maîtriser l'extérieur, tel est le jeu de miroirs déformants que Bacon attribue aux "idols of the tribe". La croyance aux sympathies et antipathies naturelles en est l'empreinte la plus acide. La Mothe Le Vayer poursuit alors – Bacon en tête – en transférant la preuve par accumulation (qui est une des techniques des ouvrages les plus "sérieux" de *magia naturalis*) sur les phénomènes relatifs aux activités de l'homme[13]. Bref: *quid* de cette "disfiguration" dont parle Bacon lorsque la fausse causalité magique est appliquée non pas aux tentatives faites par l'homme pour achever une maîtrise et une sorte de compréhension des phénomènes "naturels" (extérieurs) mais à une action dans le domaine des relations entre hommes. L'"idol" que La Mothe Le Vayer choisit de montrer, c'est celle de la prétendue "contrariété d'humeurs" entre, ici, Français et Espagnols. En donnant ce texte dont il n'est pas l'auteur, il démontre, par un tour d'ironie, l'absurdité du raisonnement selon lequel il existe entre les deux "races" une antipathie naturelle qui serait promue, comme l'effet par la cause, par le climat, le corps, la culture et qui fonderait en retour une politique!

Geste ironique à deux égards. Les deux données "naturelles" qui sont invoquées sont un ramas de notations sur les humeurs locales et nationales (la physique du lieu et la physiologie avec sa suite, la mode et les manières), qui jouent sur des lieux communs rhétoriques (l'Espagnol qui vit dans un pays chaud et sec, est d'humeur chaude et sèche, il est donc hautain dans les affaires privées et autocratiques en matière politique, une théorie fantaisiste que même Juan Huarte de San Juan, dans son fameux *Examen de Ingenios* (1575), n'avait osé défendre). L'enfilade de notations fonctionne en effet comme une argumentation par juxtaposition (une technique de la routine rhétorique) qui conduit le lecteur inaverti du minéral (le sol de la Castille) au culturel (le laconisme ibérique), procédé éminemment persuasif qui dédouble l'introduction générale du texte lui-même, cette entame jouant alors, ici, la fonction

---

[13] C'est le cas de la *Magiæ Universalis Naturæ et Artis* du Père Gaspar Schott (Bamberg, J.A. Cholin, 1657-1658) qui se tient entre le livre des merveilles et un inventaire mécanique d'instruments, comme dans le cas du livre III (de la 2e partie), *De Magia phonectonica* et du livre VI, *De automatæ & autophona*.

d'une justification de départ. L'argumentation est un petit joyau de *dispositio* rhétorique.

Mais le texte, pour nous, post-baconiens, vaut pour une moquerie implicite. A un second égard, la mise en séquence de ce cas d' "idols" avec la manière dont les deux nations envisagent la religion est extrêmement corrosive. La foi y est réduite à la projection des données "magiques" issues d'un ordre d'"idiosyncrasies"[14] minéral-animal-culturel. Les questions de la foi, à l'espagnole, à la française, qui devraient ressortir à l'examen de positions théologiques, canoniques, dogmatiques, sont réduites à un problème de causalité "magique". L'ironie de l'argumentation n'est-elle pas en effet que, à bout d'effets, la religion est une question de climat?

Si le texte original du *Traité* est hors ironie, sa version française, inscrite dans le geste de critique sceptique, est tout ironie. La "contrariété d'humeurs", lue par ce prisme-là, est une fantaisie. Sympathie, antipathie sont des "idols". La question se redouble donc de celle-ci: quelle est l'intention de La Mothe Le Vayer en offrant à Richelieu un texte qu'il ruine, en feignant de lui "donner du support", un texte qui s'insère dans tout un effort "médiatique" de la part de l'establishment intellectuel français à jouer son rôle de conseiller du prince dans la lutte politique pour la suprématie entre les deux super-puissances du temps? La Mothe Le Vayer donne et soustrait. Il donne un document de travail, un rapport d'expert dont le cardinal fera ce que bon lui semblera. Il soustrait ce même document en en ruinant l'efficace. Expert très expert en effet en l'art de la persuasion "délibérative" (poser le pour et le contre et formuler un avis) puisqu'il ne veut pas délibérerer à partir de la fausse théorie de la sympathie/antipathie appliquée au politique mais délibérer sur cette théorie, afin de formuler le seul avis expert qu'il puisse donner : la causalité sympathie/antipathie est inefficace pour formuler une décision politique. Le geste est profondément et viscéralement sceptique: en montrant l'absurdité des *loci communes* de l'antipathie, La Mothe Le Vayer enjoint Richelieu de tenter un acte sceptique. Cardinal, dit-il, suspendez votre jugement en ce qui a trait à cette fausse idéologie, pourtant si puissante et si répandue autour de vous, même parmi les gens d'église, n'ali-

---

[14] II, 90= IV, 2, 322.

gnez pas vos actions politiques sur de fausses causalités. Il ne demande pas au cardinal de ne pas agir. Simplement de ne pas agir selon ces termes-là.

L'acte est résolument "délibératif", puisque La Mothe Le Vayer de fait conseille son maître. Il est résolument sceptique, puisque La Mothe Le Vayer opère une critique de la *doxa* en intimant guère qu'il y en a une autre de remplacement. Il est radicalement laïc, puisque le fond du conflit politique entre les deux super-puissances est ramené du religieux au climatologique: si ceux qui croient à ce qu'ils disent croire vont au fond de leur logique insensée ils doivent tenir que le "zèle" espagnol en religion sort, *in fine*, de l'ardeur du soleil castillan, par quoi au fond on brûle les hérétiques et commet en Amérique d'autres "inhumanités"; et, par rebond, il réduit la politique des nations, par quoi s'agit le religieux, à des "idols".

Mais que veut donc La Mothe Le Vayer, usant de cette réduction à l'absurde, de la "magie naturelle" de l'antipathie, que veut-il au-delà du plaisir qu'il se donne à mettre en action la sceptique, jouant avec le danger encore plus grand d'être accusé d'être "libertin"? L'audace du geste n'est-elle pas double? Monseigneur, dit le nouveau Sexte, ne décidez rien sur cette base-là et cette base-là n'a rien à voir avec Dieu.

Voilà donc, dépliée sous le regard du maître, l'intention sceptique, anti-antipathique. Il s'agit de la préface du texte[15]. L'entame de la préface à *De la contrariété*:

> Aussitôt que j'eus pris la resolution de donner du support à l'Ouvrage de ce Veronois, le dédiant à quelqu'un selon la coutume, je fis réflexion sur cette coummune façon de parler, avec laquelle nous dédions les Livres, comme on dédie à Dieu ce qui lui est consacré dans nos Eglises.

La préface convoque une série de lieux communs de l'éloquence dite épidictique, l'art de louer : la table de travail du cardinal est un "autel", le livre est un "tableau votif", une simple traduction est cette "peau de chèvre" aussi prisée au "Temple de Jérusalem" (le Louvre?) que de l'or, la préface est un"hymne" au dédicataire, celui-ci ("si nous vivions encore dans la licence du Paganisme")

---

[15] II, 90=IV, 2, 313-316.

serait le "Dieu Tutelaire" de la France à qui on rend "sacrifices", le cardinal est "Intelligence motrice" du siècle. La préface, jusqu'à ce point, est un tel acte de "démonstration": elle démontre (*epideixis*) ce qu'est la rhétorique épidictique, la louange en son premier état, l'*enkômion*, la louange des actes. Le texte vire alors. Il passe de la louange des actes à la louange de la vertu du sujet, à l'*epainos*. Richelieu est ainsi "simulacre" (il est le "portrait" de tous les portraits de grands ministers), "second Fondateur de l'Empire" (une allusion aux caresses d'un patriarchat d'Occident pour le ministre, plus simplement fondateur de cette nouvelle monarchie nationale qui devrait annuler la puissance de l'empire issu de Charles-Quint). La Mothe Le Vayer, en fin connaisseur de l'art de la louange, très aristotélicien ici, a balisé le terrain de ce qu'est une "dédicace à la gloire de". La Mothe Le Vayer procède comme il fait toujours, par accumulation de détails.

Le texte, en son entier, n'est pas une parodie de dédicace, il est la dédicace sublimée et comme macérée en ses éléments constitutifs.

Un sceptique ne se moque jamais: il exhibe. Pourquoi ce montage? Pour signifier, dans l'empressement autour du sujet, que celui-ci doit exercer la précaution sceptique. De même que le traité ne signifie rien en lui-même, car il reste inopérant pour comprendre les relations avec la Cour d'Espagne, sauf à user, à fin de tromperie, de l'opinion fausse que les opposants se font de celles-ci, tout nourris des fantaisies "antipathiques" qui leur font attacher de fausses causes aux effets politiques, bref sauf à user de l'erreur commune à fin de tromper de manière consentie, de même la préface n'a pour seule signification que d'inciter le récipiendaire à comprendre que la louange fonctionne effectivement sur l'illusion d'une sympathie, comme le blâme sur celle d'une antipathie. Le panégyriste de métier est toujours convaincu qu'il partage avec son sujet le sujet, qu'il existe une sympathie entre eux, laquelle atteint son plus haut niveau dans l'oraison funèbre où, le plus souvent, l'orateur veut personifier son sujet, glisser sa voix dans la voix morte, son visage sous le masque du mort. Le geste anti-épidictique du scepticisme consiste donc à récuser la "sympathie" de la louange officielle, et à mettre le dédicataire face à l'analyse et à la pesée des notions en vue de l'action.

Quel est l'objet réel de ce montage de textes contre les illusions de la sympathie/antipathie? L'objet est doublement politique: d'une part il s'agit d'affirmer l'autonomie de l'intellectuel dans son rôle assigné, et d'autre part de montrer au politique que l'action ne peut pas se déterminer sur des bases de fausse causalité. La métriopathie appliquée à l'action publique revient à séculariser et à laïciser la politique, loin de la "magie naturelle" qui agit en elle et par "idols".

Il faut donc ruser. Et c'est la ruse elle même qui affirme l'autonomie. Mais cette ruse est fête de l'esprit, affûtage des esprits, mise en relation d'égalité de consciences qui se refusent sortir du jeu de la domination et entendent, dans le jeu lui-même, trouver leur propre joie. Les princes de la Sceptique ne "frondent" pas. Hegel a voulu saisir ainsi le mouvement dramatique de cette liberté

> Dans le changement et les vicissitudes de tout ce qui veut se consolider pour elle, la conscience de soi sceptique fait donc l'expérience de sa propre liberté, comme d'une liberté acquise et maintenue par elle-même; la conscience de soi sceptique est l'ataraxie de la pensée se pensant soi-même, la certitude immuable et authentique de soi-même [...] Mais, en fait cette conscience, au lieu d'être une conscience égale à soi-même, n'est en fin de compte qu'un imbroglio contingent [...] C'est pourquoi elle se confesse d'être une conscience tout a fait contingente, singulière – une conscience qui est empirique, qui se dirige d'après ce qui, pour elle, n'a aucune réalité, obéit a ce qui, pour elle, n'est aucunement essence [...] Mais aussitôt qu'elle s'attribue à elle-même la valeur d'une vie singulière, contingente [...] la valeur d'une conscience de soi perdue, aussitôt, elle s'élève au contraire à la conscience de soi universelle et égale à soi-même [...] Cette conscience est donc ce radotage inconscient oscillant perpétuellement d'un extrême, la conscience de soi égale à soi-même, à un autre extrême, la conscience contingente, confuse et engendrant la confusion [...] Elle connaît sa liberté, une fois comme élévation au dessus de toute la confusion, et de toute la contingence de l'être-là; mais la fois suivante, elle se confesse à soi-même qu'elle retombe dans l'inessentialité et qu'elle n'a affaire qu'à lui.[16]

---

[16] G.W.F. Hegel, *La Phénoménologie de l'esprit*, éd. et tr. J. Hyppolite, Paris, Aubier Montaigne, sd, I, 175.

Radotage? Non, travail de la sceptique , travail d'une "fronde" aguerrie aux stratégies de Cour. Hegel voit-il juste?

Pintard avait naguère eu ce mot, l'œuvre de La Mothe Le Vayer aurait été le "fruit de quarante années d'application heureuse à l'hypocrisie"[17]. Dans les *Dialogues* qui lancèrent la carrière de ce dernier, le *Dialogue sur l'opiniastreté* se referme superbement sur une formule que Pintard s'est simplement contenté d'amplifier, pour mordre un auteur dont il appréciait peu la prétendue lâcheté, "Sustine et abstine Sceptice"[18].

Cette maxime fait le cœur de l'échange, si rondement mené et si naturel qu'on y entend presque les voix des deux protagonistes (autant pour Balzac qui se moquait du style du "philosophe suburbain", du Faubourg Saint-Michel)[19], entre Orasius – La Mothe Le Vayer et Orontes-Naudé? Elle est percutante:

> Et croyez que ce n'est pas sans occasion que vous lisez pour devise sur ce manteau de cheminee, *contemnere et contemni*, vous protestant que je ne fais nulle violence à mon Génie quand je me ris de ces suffrages, et mesprise ces applaudissements publics[20].

Le sceptique , le libertin, celui qui se doit de cultiver le *bios philosophikos*, et lorsqu'il s'engage dans les affaires publiques, est affronté à cette difficulté: comment se conduire en sage dans la vie publique, comment achever son *ethos*, son autonomie intellectuelle, bref comment mépriser sans être méprisé comme si effectivement le *contemnere* s'acccompagnait d'un *contemni*[21]. En sage, traduisons: en intellectuel.

La Mothe Le Vayer met cette difficulté en scène dans l'extraordinaire *Dialogue sur le sujet de la vie privée* entre Philoponus, un magistrat, et Hésychius, lui-même.

---

[17] René Pintard, *Le libertinage érudit*, 303..

[18] La Mothe Le Vayer, *Dialogues faits à l'imitation des Anciens*, éd. A. Pessel, 386.

[19] La Mothe Le Vayer le lui rend bien dans l'*Hexaméron rustique*, 5e journée, "De l'Eloquence de Balzac".

[20] *Dialogue sur le subjet de la divinite*, VI (le 2e des *Cinq Dialogues*), 306.

[21] *Dialogue sur le sujet de la vie privée*, III, La Mothe Le Vayer cite la formule complète, tirée de Martial, *Ep.* 1, "Si vis beatus esse, cogita hoc primum contemnere et contemni. nondum es fœlix, si tu turba non deriserit. C'est la lecon que repéte si souvent Epicure" (116).

Il est possible de lire ce dialogue comme une matrice pour résumer la difficile position de l'intellectuel sceptique qui veut, peut et doit fonctionner dans un milieu dont les mœurs lui sont répugnantes. Il le peut et il le doit car, sinon, à quoi bon la "divine sceptique" et la joie de la diversité des opinions, si celles-ci ne trouvent pas leur lieu d'élection et leur dynamique dans la vie réelle, "out there" comme on dit en anglais, au dehors. Être sceptique en aparté ce n'est point être sceptique. Être sceptique exige paradoxalement que l'on s'engage afin de pratiquer, réellement, le test des modes de suspension du jugement et, comme Démocrite, rire des affaires humaines. On ne peut rire des institutions que de l'intérieur. Si La Mothe Le Vayer avait pu dialoguer avec Habermas, à la question de celui-ci, "eh bien, si vous êtes vraiment sceptique, si vous ne croyez pas que dans la sphère publique il y a place pour une rationalité du sujet libre, eh bien pourquoi ne vous jetez-vous pas du haut d'un immeuble" – "Nul besoin, mon cher, être à la Cour s'est déjà s'être jeté".

A rebours, le sceptique n'est ni un militant ni un idéologue. Le sens même de la "Divine Sceptique" justifie qu'il puisse jouer entre les lignes. Aux autres de s'en apercevoir. Il ne s'engage pas pour faire montre de la sceptique. L'autonomie intellectuelle est à ce prix: le mépris envers ces intellectuels à pétition qui se veulent conseillers du prince à partir de considérations politiques qui se donnent et se déguisent en considérations philosophiques. Le sceptique à la Cour aborde le circuit des influences comme sceptique, en dehors de toute opinion pré-établie. L'autonomie est hétéronomie. Elle est observation. Elle est profondément libertine.

Le débat suscité par le scepticisme dans la période de consolidation de la culture classique de Cour nous est étrangement familier dans notre culture post-moderne, alors que le néo-capitalisme fossilise et instrumentalise les relations de l'intellectuel au politique.

Mais revenons au dialogue en question ou se dessine, avec fermeté, cette position philosophique concernant le politique.

La stratégie du dialogue suit une série de mouvements rhétoriques, de contournements et d'attaques frontales qui sont autant d'approches de la question du politique – l'objet d'un autre dialogue. La conversation amicale, c'est-à-dire, à pied d'égalité, entre le magistrat et l'intellectuel dégage d'abord la question des mérites respectifs des deux vies – une vie focalisée sur le politique, avec le roi et la Cour à son centre – une vie passée à la Cour et qui s'en moque. "La Cour" n'apparaît explicitement dans aucun des textes, c'est encore une réflexion sur l'époque de Louis XIII, mais elle y est présente sous les auspices de la magistrature et de la politique[22].

La stratégie est en six moments et elle livre l'essentiel de la position sceptique sur la culture aulique.

Premier moment: la question est posée par Philoponus le Magistrat "nu sous ses robes rouges" comme ironisera Hésychius-La Mothe Le Vayer:

> Il est bon de philosopher, pourveu que ce soit à certaines heures; il est permis de penser hautement ces choses, pourveu que ce soit sans extravagance; la contemplation n'est pas deffendue, moyennant qu'elle donne lieu, et laisse le temps aux bonnes actions[23].

Segmentation des activités, schize du sujet, affirmation que la pensée n'est pas action en soi. A cette affirmation delétère, qui place l'intellectuel hors de soi, dans un état de non-appartenance, et qui implique par contraste que l'homme d'État – magistrat, courtisan – est un, cohérent, pleinement sujet, la réplique est intéressante: une telle attitude, qui éjecte du politique la critique du politique et suppose que cette critique n'est pas action, que seules les réflexions qui émanent directement du politique sont donc et pensée et action, une telle attitude mérite "exorcisme".

La Mothe Le Vayer, c'est le premier temps de cette stratégie, pose que le refus d'accorder autonomie est une possession. Le courtisan est possédé du politique, il en est le monstre ventriloque. L'homme de Cour est une prothèse.

Deuxième moment, la vulgarité nécessaire du politique. Voici ce que dit Hésychius:

---

[22] Dans le Dialogue VIII, sur la politique, La Mothe Le Vayer décrit quelques lieux sur les favoris (435-6), et sur la hiérarchie aulique amusément copiée sur celle du Ciel, hiérarchie fondée sur la "prérogative de faveur" (436).

[23] *Dialogue sur le sujet de la vie privée,* 115.

> Scachez que ny les plus hautes dignitéz d'un Estat, ny les premieres charges d'un Louvre, ny les plus importans offices d'un Palais, n'empeschent pas un homme, comme ils le considerent, d'estre du peuple[24].

L'attaque est brutale: ce n'est pas le sceptique qui s'abstrait du monde aulique, c'est le courtisan qui croyant s'abstraire du monde en passant dans le monde aulique, procède à la plus dure des abstractions: il oublie qu'il emporte avec soi le monde, le vulgaire. Et quel est l'instrument, le medium et la raison de cette illusion, sinon "les offices". L'illusion du courtisan réside en ce qu'il attribue aux actions impliquées dans l'exercice des charges l'effet d'une réflexion sur le monde, comme si agir par commande et en Cour transmuait des opinions fausses en vérités par le seul effet qu'agir affecte le politique.

La Mothe Le Vayer exhibe l'horreur des Cours que Saint-Simon, sceptique masqué, passera sa retraite à expliquer: l'acte aulique peut simplement se réduire à l'étiquette, un acte de placement qui vaut pour un acte politique. Arrachez l'étiquette, la Cour tombe dans la vulgarité, bref exhibe ce qui toujours était là, l'illusion que ces cent actes divers valaient pour une extranéation du "vulgaire".

La "vertu" ne réside pas dans "le tracas" et "l'agitation"[25], signes presque physiognomoniques à quoi on reconnaît un courtisan, mais dans l'achèvement éthique de sa nature - définition aristotélicienne: l'éthique du citoyen c'est d'accomplir sa fonction propre, et celle de l'intellectuel est de réfléchir en autonomie comme celle du courtisan de courtiser. Encore faut-il concevoir que courtiser c'est simplement faire passer à la puissance *n* la vulgarité, concentrer le peuple[26].

Troisième moment, critiquer ainsi, déclare Philoponus (masque de Bautru?) c'est chercher la "pierre philosophale"[27]. Qu'est-ce à dire? Pourquoi cette remarque sarcastique du magistrat, par delà une réplique amusante à l'accusation de possession? La raison en est à trouver en ce que Hésychius témoigne que "l'utilité" et

---

[24] *Ibid.*, 117.
[25] *Ibid.*, 119.
[26] *Ethique de Nicomaque*, II, 5, 1016a15.
[27] *Ibid.*, 127, Philoponus.

"l'honnêteté" sont de son côté. Qu'est-ce à dire? Qu'est l'honnêteté sinon la pratique des vertus? C'est-à-dire la pratique de ce qui permet à l'individu de s'achever lui-même? La vie contemplative n'est pas supérieure "à celle que vous avez voulu nommer raisonnable, et qui est meslee d'action et de contemplation"[28], elle est seulement, par la contemplation sceptique, la seule qui exhibe l'impossibilité de prescrire un critère de l'action.

La réflexion sceptique est ainsi une "hyperphysique"[29] en ce qu'elle refuse de croire en une physique de la politique. L'argument, on le reconnaît, reste celui du "criterion", que j'ai mis déjà mis en valeur.

Quatrième moment, la sceptique est un "banquet des sorciers", lui rétorque Philoponus[30]. Pourquoi cette cohérence de la métaphore: possession, alchimie, sorcellerie? Philoponus réplique par l'accusation que de telles pensées sont "fantastiques"[31]. Ce terme est normé ailleurs chez La Mothe Le Vayer, comme nous l'avons également constaté: le "fantasque" appelle cependant avec lui les conditions par quoi le courtisan sceptique peut en effet atteindre à l'ataraxie.

> Ostez les preventions de vostre esprit, effacez-en ce que la tyrannie d'une mauvaise coustume y peut avoir imprime, renoncez aux sottes opinions d'une multitude insensée, examinant à la regle d'une droitte raison les necessitez naturelles, et vous nous trouverez non seulement hors de l'indigence, mais encores dans l'affluence des biens, non seulement hors le sentiment, mais mesmes hors la crainte de la pauvreté[32].

Bref la Cour est la multitude et l'indigence qui gêne l'activité "naturelle" de la *skepsis*.

Cinquième moment: mais de quel plaisir s'agit-il? Philoponus change de tactique en effet. Si tout cela est bel et bon, la vie en est-elle plus agréable? Otez au courtisan le pouvoir, même indigent, la fortune, même sotte, l'action, même pauvre, il a tout de même ce que l'ataraxie ne peut donner: le plaisir. Voici la réponse d' Hésychius:

---

28 *Ibid.*, 122.
29 *Ibid.*, 127.
30 *Ibid.*, 127.
31 *Ibid.*, 127.
32 *Ibid.*, 129.

> C'est chose ordinaire, à tous ceux qui comme vous passent leur age dans les occupations et divers tracas de la vie tumultueuse, d'avoir de fort mauvaises conceptions de ceux qui coulent sourdement leurs années dans le repos, et le silence d'une vie particuliere; ce qui procede, non seulement de cette inclination naturelle, par laquelle chaque chose affectionne sa semblable, et a de l'aversion pour ce qui luy est contraire, mais encores d'un desir, et d'une ambition qui maistrise la pluspart des hommes, et leur fait souhaitter avec passion d'estre estimez prudens et advisez en la conduitte de leur fortune, et par conseqent heureux au genre de vivre duquel ils font profession[33].

En d'autres termes le plaisir de l'homme de Cour se mesure uniquement à l'opinion qu'il se fait de ce qu'est la vie de Cour. Une idéologie de la coutume est à l'œuvre qui impose ses marques de succès et qui fait prendre ces signes, "fantastiques" vraiment, pour des réalités. Adhérer à un "genre de vivre" impose une "maistrise" de ces modes qui passse pour action et dit que cette action est source de contentement. Et, par effet, cette "aulne" sert à mesurer la distance entre l'homme de Cour et le "vulgaire" auquel, comme on l'a vu, il appartient toujours-déjà!

Sixième moment, une attaque directe contre la notion politique du plaisir de vivre qui sous-tend la conception de Philoponus. Cette attaque renverse les données, en placant le sceptique au centre de la politique, et non pas le Roi, et en étendant la re-publique au dehors de la stricte definition. Contre l'aporie de la culture de Cour, autarcique et centralisée, La Mothe Le Vayer définit l'activité de l'intellectuel comme opérant dans une culture ouverte, comme l'ouverture même de cette culture. En deux temps:

> Telles personnes [...] ne font pas partie de la Republique, qui est une assemblée de ceux qui vivent en egalité, parce que leur eminence les met hors pair, et les distingue par trop; les loix ne les regardent point, parce qu'ils sont eux-mesmes les loix vivantes, et animées, qui reglent et gouvernent tous les autres[34].

– affirmation qui, par le recours à un régime non-aulique, semble donc dire que tel n'est pas le cas, ici, et ne sert qu'à introduire cette extraordinaire sentence:

---

33 *Ibid.*, 135.
34 *Ibid.*, 141.

> personne n'a droict de leur commander, parce qu' ils sont Rois, et Dictateurs perpetuels, ausquels la raison veut que tout le monde obéisse. Si donc vous vouliez estre si témeraire que de leur prescrire des statuts et ordonnances, scachez que c'est les vouloir imposer à Jupiter mesme[35].

Perspective renversée: le sage sceptique est désormais au centre du système. Et puis, ceci:

> Que si cette description vous semble estrange, remarquez, pour la mieux comprendre, qu'il y a deux sortes de Republiques, les petites ou particulieres, et la grande, qui est celle de l'univers [...] Et c'est à l'egard de la derniere, que les Philosophes dont nous parlons sont appellez Cosmopolites, ou citoyens du monde [...] dans cette grande cite de l'univers, *terminos civitatis suae in sole metientes*[36], ils en sont le plus beau, le plus important et considerable membre.[37]

Et La Mothe Le Vayer conclut ce renversement de perspective, qui est le résultat logique de sa conception de la Cour comme vulgarité fomentée, par cette description:

> D'autres aussi fort à propos considèrent ce monde comme un magnifique theatre, sur lequel tant de sortes de vies, comme autant de personnages, sont representez; les Philosophes s'y trouvent assis, considerans le tout avec un grand plaisir, cependant que les Princes, les Rois, et les plus grands Monarques, sont autant d'acteurs de la comedie, qui ne se semble jouer que pour le contentementt de ces dignes spectateurs[38].

Le plaisir de l'intellectuel sceptique se detérmine et se déploie dans le ravissement à considérer ce renversement de perspective.

Tel est "le plus secret article" de cette profession. Jouïr de ce renversement, et le taire. Etre intellectuel sous une autocratie c'est vouloir s'attabler à un "repas de Lotos et d'Ambrosie"[39]. Le dialogue sur la politique, entre Telamon (Naudé) et Orontes (La Mothe Le Vayer) s'ouvrait sur une phrase de Plutarque "Cache ta vie et ta mort"[40]. Certes, mais de quelle vie et de quelle mort s'agit-il? Sim-

---

35 *Id.*

36 Sénèque, *De Vita Beata*, xxxii.

37 *Dialogue sur la vie privée,* 142.

38 *Ibid.*, 142.

39 *Ibid.*, 147.

40 *Dialogue,* VIII, 387.

plement de la vie sceptique et de la mort courtisane. L'intellectuel cache sa vie et sa mort, mais cette mort n'est pas celle de cette vie. Ce qui se dit: autonomie. Ce qui se dit: affirmer la possibilité d'un "forum" hors du politique-autocratique, d'un lieu commun des échanges éthiques hors des contraintes et des "idols", bref, de manière frondeusement réfléchie, d'une "démocratie".

Sainte-Beuve, retrouvons-le en finissant, raconte dans sa chatoyante causerie dévolue à la duchesse du Maine, la "fée" comme il l'appelle, les vains jeux politiques de la contre-Cour, son esprit de fronde tardive ou annonciatrice des quiproquos de la haute noblesse sous la Révolution[41], "sa petite Cour de Sceaux, où elle nous apparaît comme une des productions extrêmes et les plus bizarres du règne de Louis XIV[42]." De cette vanité la *skepsis* ne veut pas.

Et pourtant, cette fronde "fantasque", avec ces fameuses "Nuits de Sceaux," nous donne, dans les féeries d'une "enfant gâtée", la métaphore la plus brillante et la plus sombre de ce que put être l'indépendance sceptique. Celle-ci trouve en celle-là l'allégorie de sa brillance, de son luxe intellectuel, de son goût pour les prestidigitations de l'esprit. Car le scepticisme est un *gay saber*, un art du charme, celui-là seul qui vous fait supporter les tyrannies et les exigences extérieures. Le sceptique n'est indifférent à rien, mais il refuse de s'en laisser conter. Ses nuits sont éclairées de fusées.

Allons relire les pages haletantes de Sainte-Beuve sur l'arrivée d'un Voltaire en fuite, à Sceausc à l'automne de 1746 – il y composera *Zadig*, entre autres contes, dans une chambre aux volets clos – pour entrevoir aussi tout le *chiaroscuro* du scepticisme et son rapport génétique à la réflexion démocratique des Lumières, sur les conditions d'une éthique publique de l'autonomie intellectuelle.

Image du jeu de pénombre et de cache auquel l'esprit sceptique, dont Voltaire est l'héritier direct, s'était assoupli au cours de l'Age classique. Allégorie d'une Résistance intellectuelle. La duchesse et ses suiveurs sont les compagnons un peu sots des fils de Sexte dans une manière d'*Embarquement pour Cythère*. A cette différence près que, si les prétendus libertins de Sceaux – ces grands nobles posant aux rebelles – agissent comme les galants de Watteau –

---

[41] Sainte-Beuve, *op. cit.*, III, 206-228.
[42] *Ibid.*, 206.

partiront-ils, ne partiront-ils pas? quel ennui! buvons donc – et vivent (superbe formule de Sainte-Beuve, formule de toutes les trahisons des non-clercs) une "vie entre deux charmilles", les libertins de l'esprit savent passer à travers le frivole mondain de la fausse autonomie. Pour eux, il est hors de saison de se laisser prendre au bocage des bergers, de se laisser enfermer, comme ces faux libertins, entre la charmille des espérances folles – tout renverser, partir, fuir, et au fond simplement jouer aux pastorales de Watteau – et la charmille des ambitions meurtries – ah, si le duc du Maine avait ..., ah si la Fronde jadis avait, si, si. Pour eux, le jeu tendu et patiemment violent de la raison sceptique conduit, après les feux d'artifice qui illuminent les nuits claires du scepticisme et jettent un éclat meurtrier sur les "idols of the tribe", à l'affirmation brillante de l'autonomie intellectuelle. Inauguration de cette autre autonomie, celle de la pensée librement concertée étendue à tous, inauguration de la "démocratie". A venir.

Ouvrages cités

Je me dois de remercier les revues qui ont publié, à fur et à mesure que ce livre prenait forme, les premières moutures de ce travail. A savoir, dans l'ordre des chapitres

1. "La mâchoire de l'âne : sceptique et sens commun", *Littératures classiques*, 25, 1995, 77-84.
2. "La Mothe Le Vayer ou l'impossible métier d'historien", *Seventeenth-Century French Studies*, 13, 1991, 55-70.
3. "Les Géorgiques du Prince : Nature et pédagogie royale selon La Mothe Le Vayer", *Littératures classiques*, 17, 1992, 177-184.
4. "*Pallas armée*: polémique et littérature selon La Mothe Le Vayer", in Roger Duchêne et Pierre Ronzeaud (éds.), *Ordre et contestation au temps des classiques*, Paris-Seattle-Tübingen (coll. "Biblio 17", 73), 1992, II, 63-73.
5. "*Philia*: connaissance et amitié", in François Lagarde (éd.), *L'esprit en France au XVII*e *siècle*, Paris-Seattle-Tübingen (coll. "Biblio 17", 101), 1997, 11-27.
6. "Scepticisme et sophistique chez La Bruyère et La Mothe Le Vayer", in Benedetta Papasogli et Barbara Piqué (éds.), *Il Prisma dei Moralisti*, Rome, Salerno (coll. "Pubblicazioni del Centro Pio Rajna", 1/6), 1997, 397-406.
7. "*L'éclat et la catastrophe* or Sceptic Independence", *Society for Seventeenth-Century French Studies*, 20, 1998, 1-16.

La matière de la conclusion a été présentée à deux colloques (Montréal, sur la sympathie) et Versailles (sur le philosophe et la cour).

Sources

Aristote, *Ethique à Eudème*, préface et trad. par Pierre Maréchaux, Paris, Payot/Rivages, 1994.

–, *Nicomachean Ethics*, éd. W D Ross, Chicago/Londres, Encyclopædia Britannica/The University of Chicago, 1952.

–, *A Theory of Civic Discourse. On Rhetoric*, éd. George A. Kennedy, New York/Oxford, Oxford University Press, 1991.

Antoine Arnauld, *Réflexions sur l'éloquence des prédicateurs (1695)*, suivi de Philippe Goibaut du Bois, *Avertissement en tête de sa traduction des Sermons de saint Augustin (1694)*, textes éd. et présentés par Th. M. Carr Jr, Genève, Droz (coll. "Textes littéraires français", 421), 1992.

Francis Bacon, *Novum Organum*, Chicago, The University of Chicago Press, Encyclopedia Britannica, 1952.

Pierre Bayle, article "Vayer", IV, 2780-6 in *Dictionnaire historique et critique*, 3e éd., Rotterdam, M. Bohm, 1720. Article "Pyrrhon", III, 2308.

Nicolas Boileau, *Discours sur le stile des inscriptions*, in *Œuvres*, éd. A. Adam, Paris, Gallimard (coll. de La Pléiade), 1966, 611-12.

Thomas Browne, *Religio Medici* (écrit en 1635, pub. 1642-1643), Londres, J.M. Dent & Sons, 1956.

Cicéron, *On Friendship & The Dream of Scipio*, éd., trad. anglaise et commentaires par J.G.F. Powell, Warminster, Aris & Phillips, 1990.

Louis de Cressolles, *Vacationes Autumnales siue de perfecta oratoris actione et pronunciatione*, Lutetiæ Parisinorum, sumptibus S. Cramoisy, 1620.

Charles-Alphonse Du Fresnoy, *De Arte Graphica*, nouv. trad. et préface de Philippe-Joseph Salazar ("L'institution de la peinture"), Paris, L'Alphée, nouv. série, 1, 1989, 98-121.

Diogène Laërce, *De la vie des philosophes*, traduction nouvelle de Gilles Boileau, Paris, J. Gochart, 1668.

–, *Laertii Diogenis de vitis dogmatis et apophtegmatis eorum qui in philosophia claruerunt libri X, cum uberrimis Aegidii Menagii observationibus*, Londres, O. Pulleyn, 1664.

Erasme, *Eloge de la Folie*, in *Œuvres choisies*, trad. et prés. par Jacques Chomarat, Paris, Livre de poche classique (6927), 1991.

Pierre Gassendi, *Exercitationes paradoxicæ adversus Aristoteleos*, Amstelodami, apud L. Elzeverium, 1649.

Baltasar Gracián, *La pointe ou l'art du génie*, traduction M. Gendreaux-Massalou et P. Laurens, s.l., L'âge d'homme (Idea), 1983.

Hartlib Project Papers [sur CD-ROM], Université de Sheffield, Surrey, UMI.

Juan Huarte, *Examen des esprits* (trad. par G. Chappuys), Rouen, T. Reinsart, 1598.

Pierre-Daniel Huet, *Mémoires (1718)*, éd. et préface de Ph.-J. Salazar, Paris/Toulouse, SLC/Klincksieck, 1993.

Juste Lipse, *Manuductionis ad stoicam philosophiam libri III in Opera omnia*, Wesel, 1675.

François de La Mothe Le Vayer, *Œuvres*, réimpression de l'éd. M. Groell (Dresde, 1756-1759), Genève, Slatkine, 1970.

–, *Quatre dialogues* d'Orasius Tubero, Francfort, J. Sarius, 1604 (=1630).
–, *Dialogues faits à l'imitation des Anciens,* éd. procurée par A. Pessel, Paris, Fayard (coll. "Corpus des œuvres philosophiques de langue française"), 1988.
–, *Cinq dialogues*, Mons, La Flèche, 1671.
–, *De la liberté et de la servitude*, Paris, A. de Sommaville, 1643.
–, *Lettre sur la comédie de l'Imposteur*, éd. R. McBride, Durham, University of Durham (coll. "Durham Modern Languages Series, French", 4), 1994.
–, *Dialogo scettico sulla politica*, éd. D. Taranto, Rome, Bulzoni, 1989.
La Rochefoucauld, *Maximes et réflexions diverses,* éd. J. Lafond, Paris, Gallimard/Folio (728), 1976.
Lucien, *De la manière d'écrire l'histoire*, trad. par Jacques-Nicolas Belin de Ballu, éd. revue et corrigée, Paris, J. Delalain, 1866 (1ère éd., 1788).
–, *Toxaris*, 59-103 in *Amours*, éd. et trad. par Pierre Maréchaux, Paris, Arléa, 1993.
Antonio Mascardi, *Dell' arte historica*, Rome, G. Fiacciotti, 1636.
Michel de Montaigne, *Apologie de Raymond Sebond*, éd. Paul Porteau, Paris, Aubier, 1978.
Charles Perrault, *Contes*, éd. J.-P. Collinet, Paris, Gallimard/Folio (1281), 1981.
Philostrate, *La galerie de tableaux*, préf. de Pierre Hadot, trad. Auguste Bougot et François Lissarrague, Paris, Les Belles Lettres, 1991.
–, *Vie d'Apollonios de Tyane*, in *Opera omnia*, Paris, Cl. Morel, 1608.
Platon, *Lysis*, éd. J. Wright, 145-168 in *The Collected Dialogues*, éd. par Edith Hamilton et Huntington Cairns, Princeton, NJ, Princeton University Press (Bollingen Series LXXI), 1973 [1961].
Antonii Possevini [...] *Cultura ingeniorum* (7e éd.), Coloniæ Agrippinæ, apud Ioannem Gymnicum, MDCX.
Cardinal de Retz, *La Conjuration du comte Jean-Louis de Fiesque*, Paris, C. Barbin, 1655.
Charles Rollin, *De la manière d'enseigner [Traité des études]*, Paris, Paris, Mame, 1810, 4 vol (1ère éd., 1726-31).
C.-A. de Sainte-Beuve, *Causeries du Lundi*, Paris, Garnier, s.d., 16 vol.
Charles de Saint-Evremond, *Œuvres en prose*, éd. R. Ternois, Paris, Didier (coll. "STFM"), 1962-1969, 4 vol.
Sextus Empiricus, *Outlines of Pyrrhonism*, III, xxiv-xxxii, 188-281 in *Works*, trad. en anglais par R. G. Bury, Londres, W. Heinemann (coll. "Loeb Classical Library"), 3 vol.
Jacques-Auguste de Thou, *Historiarum sui temporis*, Paris, A. et H. Drouart, 1609-10. L'édition de référence est celle collationnée par Samuel Buckley, Londres, 1733.

–, *Epistre [...] Au Roy*, traduit du latin par Nicolas Rapin, Paris, P. Chevalier, 1614.

Antoine Varillas, *La Pratique de l'Education des Princes*, Paris, C. Barbin, 1684.

César Vichard de Saint-Réal, *De l'usage de l'Histoire*, texte présenté par R. Démoris et Chr. Meurillon (réimpression de l'édition de 1693; 1ère éd., 1671), Villeneuve d'Ascq, Gerl 17-18/Université de Lille III, 1980, 1-2 du fac-simile.

Etudes critiques

Julia Annas et Jonathan Barnes, *The Modes of Scepticism. Ancient Texts and Interpretations*, Cambridge, Cambridge University Press, 1985.

Christian Bartholomess, *Huet, évêque d'Avranches, ou le scepticisme philosophique*, Paris, Franck, 1850.

Sergio Bertelli, *Ribelli, libertini e ortodossi nella storiografia barocca*, Florence, La Nuova Italia (coll. "Biblioteca di storia", 6), 1973, 293.

Bernard Beugnot, *Le discours de la retraite au XVII siècle. Loin du monde et du bruit*, Paris, Presses Universitaires de France (coll. "Perspectives littéraires"), 1996.

–, "La fonction du dialogue chez La Mothe Le Vayer", *Le Dialogue, genre littéraire, CAIEF*, 24 mai 1972.

Alan M. Boase, *The Fortunes of Montaigne: A History of the Essays in France*, New-York, Octagon, 1970 (1ère éd. 1935) (le chapitre 18, 260-70 est consacré à La Mothe Le Vayer).

Carlo Borghero, *La certezza e la storia: cartesianismo, pirronismo e conoscenza storica*, Milan, F. Angeli (coll. "Pubblicazioni del centro di studi del pensiero filosofico del cinquecento e del seicento", I, 21), 1983.

John Boswell, *Christianity, Social Tolerance and Homosexuality*, Chicago/Londres, University of Chicago Press, 1980.

Frédéric Brahami, *Le scepticisme de Montaigne*, Paris, Presses Universitaires de France (coll. "Philosophies", 83), 1997.

Bernard Bray et Christoph Strosetzki (éds.), *Art de la lettre. Art de la conversation à l'époque classique en France*, Paris, Klincksieck, 1993.

Victor Brochard, *Les sceptiques grecs*, Paris, Imprimerie nationale, 1887, 331-380.

Peter Brown, *The Making of Late Antiquity*, Londres/Cambridge, Mass., Harvard University Press, 1978.

Craig B. Brush, *Montaigne et Bayle. Variations on the Theme of Skepticism*, La Haye, M. Nijhoff (coll. "Archives internationales d'histoire des idées", 14), 1966.

M. F. Burnyeat (éd.), *The Skeptical Tradition*, Berkeley, University of California Press, 1983.
–, "The Sceptic in his Place and Time", in Richard H. Popkin et Charles B. Schmitt (éds.), *Skepticism from the Renaissance to the Enlightenment*, 13-43.
Emmanuel Bury, *Littérature et politesse. L'invention de l'honnête homme, 1580-1750*, Paris, Presses Universitaires de France (coll. "Perspectives littéraires", 13), 1996.
Barbara Cassin, *L'effet sophistique*, Paris, Gallimard, (coll. "NRF/Essais"), 1995.
Françoise Caujolle-Zaslawsky, "Sophistique et scepticisme. L'image de Protagoras dans l'œuvre de Sextus Empiricus", in Barbara Cassin (éd.), *Positions de la sophistique*, Paris, Vrin (coll. "Bibliothèque d'histoire de la philosophie"), 1980, 149-165.
Jean-Pierre Cavaillé, *Dis/simulations* [ouvrage à paraître issu de son séminaire au Collège International de Philosophie].
Jacques Chomarat, *Grammaire et rhétorique chez Erasme*, Paris, Les Belles Lettres (coll. "Les classiques de l'Humanisme", 10), 1981, 2 vol.
Alexandre Cioranescu, *Le masque et le visage, du baroque espagnol au classicisme français*, Genève, Droz, 1983.
Henry C. Clark, *La Rochefoucauld and the Language of Unmasking in Seventeenth-Century France*, Genève, Droz (coll. "Histoire des idées et critique littéraire", 336), 1994, 117.
Alain Corbin, *Le territoire du vide*, Paris, Aubier, 1988.
François-Xavier Cuche, *Une pensée sociale catholique. Fleury, La Bruyère, Fénelon*, Paris, Le Cerf (coll. "Histoire"), 1991.
François de Dainville, *L'éducation des Jésuites (XVIe-XVIIe siècles)*, éd. de Marie-Madeleine Compère, Paris, Minuit, 1978.
Patrick Dandrey, *Poétique de La Fontaine (1). La fabrique des fables*, nouv. éd. (1ère éd., 1991), Paris, Presses Universitaires de France (coll. "Quadrige", 228), 1996.
–, *Dom Juan ou la critique de la raison comique*, Paris, H. Champion (coll. "Bibliothèque de littérature", 18), 1993.
Dix-Septième siècle, 149, oct.-déc. 1985.
–, 205 oct.-déc. 1999.,
Gilbert Dubois, *L'imaginaire de la Renaissance*, Paris, Presses Universitaires de France (coll. "Ecriture"), 1985.
Jean-Michel Dufays et Chantal Grell (éds.), *Pratiques et concepts de l'histoire en Europe XVIe -XVIIIe siècles*, Paris, Presses Universitaires de Paris-Sorbonne (coll. "Mythe, critique et histoire", 4), 1990.
Michel Foucault, *Les mots et les choses: une archéologie des sciences humaines*, Paris, Gallimard, 1966.

Marc Fumaroli, "Le corps éloquent : une somme d'*actio* et de *pronuntiatio rhetorica au XVIIe siècle*", *XVIIe Siècle*, 33(3), 1981, 237-264.
–, *La diplomatie de l'esprit*, Paris, Hermann, (coll. "Savoir: lettres"), 1994.
–, *Le Poète et le Roi, Jean de La Fontaine en son siècle,* Paris, De Fallois, 1997.
Marc Fumaroli, Philippe-Joseph Salazar et Emmanuel Bury (éds.), *Le loisir lettré à l'Age Classique*, Genève, Droz (coll. "Travaux du Grand Siècle", 4), 1996.
Eugene Garver, *Aristotle's Rhetoric. An Art of Character*, Chicago/Londres, The University of Chicago Press, 1994.
Gabriele Giannantoni (éd.), *Le scetticismo antico. Atti del convegno organissato dal centro di studio del pensiero antico del CNR*, Naples, Bibliopoliis (coll. "Elenchos", 6), 1988, 2 vol. 1988)
Sylvia Giocanti, "La perte du sens commun dans l'œuvre de La Mothe Le Vayer", *Libertinage et Philosophie au XVIe siècle*, 1, 1996, 27-51.
–, "La Mothe Le Vayer: modes de diversion sceptique", *Libertinage et philosophie au XVIe siècle*, 2, 1997, 32-48.
–, *De la misologie à la philosophie sceptique: Etude sur le scepticisme moderne à partir de la lecture des œuvres de Montaigne, Pascal, La Mothe Le Vayer*, thèse de doctorat, Rennes 1, 1998.
David M. Halperin, *Saint=Foucault. Towards a Gay Hagiography*, nouv. éd., Oxford, Oxford University Press, 1997.
G.W.F. Hegel, *La Phénoménologie de l'esprit*, éd. et tr. J. Hyppolite, Paris, Aubier Montaigne, sd.
James A. Herrick, *The Radical Rhetoric of the English Deists. The Discourse of Skepticism, 1680-1750*, Columbia, S.C., University of South Carolina Press, 1997.
George Huppert, *L'idée de l'histoire parfaite*, trad. par F. et P. Braudel, Paris, Flammarion (coll. "Nouvelle bibliothèque scientifique", 64), Paris, 1973 (1ère éd. américaine, 1970).
François Ildefonse, "L'expresssion du scepticisme chez La Mothe Le Vayer", *Corpus*, 10, 1989, 23-40.
Claude Jolly (éd.), *Histoire des bibliothèques de France.II. Les bibliothèques sous l'Ancien Régime (1530-1789)*, Paris, Promodis/Cercle de la Librairie, 1988.
René (de) Kerviller, *François de La Mothe Le Vayer*, Paris, E. Rouveyre, 1879.
Blandine Kriegel, *L'histoire à l'Age Classique*, nouv. éd (1ère éd. 1998), Paris, Presses Universitaires de France (coll. "Quadrige", 231-233), 1996, 4 vol.
Jean Lafond, *La Rochefoucauld. Augustinisme et littérature*, Paris, Klincksieck, 1977.

François Lagarde, *La persuasion et ses effets. Essais sur la réception en France au dix-septième siècle*, Paris-Seattle-Tübingen, Biblio 17/PFS-CL (91), 1995.
Carlos Lévy et Laurent Pernot, *Dire l'évidence (Philosophie et rhétorique antiques)*, Paris, L'Harmattan (coll. "Cahiers de philosophie de l'université de Paris-XII-Val de Marne", 2), 1997.
José R. Maia Neto, *The Christianization of Pyrrhonism. Secpticism and Faith in Pascal, Kierkegaard, and Shestov*, Kluwer (coll. "Archives internationales d'histoire des idées", 144), 1996.
Constant Martha, *Les moralistes sous l'Empire romain. Philosophes et poètes*, Paris, Hachette, 1865.
Jean Mesnard (éd.), *Précis de littérature française du XVIIe siècle*, Paris, Presses Universitaires de France, 1990.
Jan Miernowski, *L'ontologie de la contradiction sceptique. Pour l'étude de la métaphysique des Essais*, Paris, H. Champion (coll. "Etudes montaigniennes", 32), 1998.
Arnaldo Momigliano, "Perizonius, Niebhur and the Character of Early Roman Tradition", 69-87 (1ère pub., *Journal of Roman Studies*, 57, 1957, 104-114), in *Secondo contributo alla Storia degli studi classici*, Rome, Ed. di Storia e Letteratura (coll. "Storia e letteratura", 77), 1960.
Iole Morgante, *Il libertinismo dissimulato*, Fasano/Paris, Scherna/Didier (coll. "Biblioteca di ricerca, cultura straniera", 76), 1996.
Christian Mouchel, "Paul Manuce épistolier. Grandeur et misère de l'écrivain cicéronien", *Bibliothèque d'Humanisme et de Renaissance*, 54 (3), 1992, 639-659.
Henk J. M. Nellen, *Ismaël Boulliau (1605-1694), astronome, épistolier, nouvelliste et intermédiaire scientifique. Ses rapports avec les milieux du "libertinage érudit"*, Amsterdam, APA/Holland University Press, 1994.
Bruno Neveu, *Erudition et religion aux XVIIe et XVIIIe siècles*, Paris, Albin Michel (coll. "Bibliothèque Albin Michel Histoire"), 1994.
Walter J. Ong, *Orality and literacy. The Technologizing of the Word*, Londres-New York, Methuen (coll. "New Accents"), 1982.
Henri Ostrowiecki "Dialogue et érudition à propos du *Dialogue sur le sujet de la divinité* de La Mothe Le Vayer, *Libertinage et philosophie au XVIIe siècle*, 1, 1996, 49-62.
Gianni Paganini, "*Pyrrhonisme tout pur ou circoncis?* La dynamique du scepticisme chez La Mothe Le Vayer", *Libertinage et philosophie au XVIIe siècle*, 2, *La Mothe Le Vayer et Naudé*, 1997, 7-31.
Letizia A. Paniza, "Lorenzo Valla's *De Vero Falsoque Bono*, Lactantius and Oratorical Skepticism", *Journal of the Warburg and Courtauld Institutes*, 41, 1978, 76-107.

Vilfredo Pareto, *Traité de sociologie générale*, (nouv. éd.), Genève, Droz, 1968.
René Pintard, *Le Libertinage érudit en France dans la première moitié du dix-septième siècle*, Paris, Boivin, 1943, 2 vol. (Ed. rev. et augm., Genève, Slatkine, 1995).
–, *La Mothe Le Vayer, Gassendi, Guy Patin*, Paris, Boivin, 1943.
Richard Popkin, *The History of Scepticism from Erasmus to Descartes*, éd. rev. (1ère éd., 1960), Assen, Van Gorem (coll. "Wijsjarige teksten en studies", 4), 1964.
–, *The History of Scepticism from Erasmus to Spinoza*, Berkeley, University of California Press, 1979.
Richard H. Popkin et Charles B. Schmitt (éds.), *Skepticism from the Renaissance to the Enlightenment*, Wiesbaden, O. Harrassowitz (coll. "Wolfenbütteler Forschungen", 35), 1987.
Corrado Rosso, "Il messagio dei moralisti francesi", in *Inventari e postille. Letture francesi, divagazioni europee*, Pise, Gogliardica, 1974, 182-200.
Philippe-Joseph Salazar, "Balzac, lecteur de Pline : La fiction du Prince", *XVIIe Siècle*, 42 (3), 168, juil.- sept. 1990, 293-302.
–, "Les pouvoirs de la fable: Mythologie, littérature et tradition (1650-1725)", *Revue d'histoire littéraire de la France*, 91 (6), 1991, 878-889.
–, "*Je le déclare nettement*, La Bruyère orateur", *L'Infini*, 35, automne 1991, 105-116.
–, "Huet ou l'art de parler de soi", in Suzanne Guellouz (éd.), *Pierre-Daniel Huet (1630-1721)*, Paris-Seattle-Tübingen (coll. "Biblio 17", 83), 1994, 133-140.
–, "Arnauld rhéteur", *Chroniques de Port-Royal, Antoine Arnauld (1612-1694), Philosophe, écrivain, théologien*, 1995, 163-172.
–, "La satire, critique de l'éloquence", *Littératures classiques*, 24, *La satire au XVIIe siècle*, 1995, 175-182.
–, *Le Culte de la voix au XVIIe siècle. Formes esthétiques de la parole à l'âge de l'imprimé*, Paris, H. Champion (coll. "Lumière classique", 4), 1995.
–, "Huet ou l'amour des Lettres", in Marc Fumaroli, Philippe-Joseph Salazar et Emmanuel Bury (éds.), *Le Loisir lettré à l'Age Classique*, Genève, Droz (coll. "Travaux du Grand Siècle"), 1996, 233-253.
–, "Herculean Lovers. Towards a History of Men's Friendship in the 17th Century", *Thamyris. Mythmaking from Past to Present*, 4(2), 1997, 249-266.
–, "*Etre mieux instruite de votre bouche*: Descartes et Elizabeth", in Colette Nativel (éd.), *Femmes savantes, Savoirs des femmes*, Genève, Droz (coll. "Travaux du Grand Siècle", 11), 1999, 131-139.

–, "*The Author Writes like a Briton.* La réception de Balzac en Angleterre", *Littératures classiques*, sous la direction de B. Beugnot, 33, 1998, 247-262.
–, "Des Aristotéliciens de l'*autre*", in Ralph Heyndels et Barbara Woshinksy (éds.), Tübingen, Gunter Narr (coll. "Biblio 17", 117), 1999, 213-222.
–, "La société des amis: Eléments d'une théorie intellectuelle de l'amitié", *Dix-Septième Siècle*, 51/4, 205, 1999, 581-592.
John L. Saunders, *Justus Lipsius. The Philosophy of Renaissance Stoicism*, New York, The Liberal Arts, 1955.
Charles B. Schmitt, **Cicero Scepticus**. *A Study of the Influence of the* **Academica** *in the Renaissance*, La Haye, M. Nijhoff (coll. "Archives d'histoire des idées", 52), 1972.
David Sedley, "The Motivation of Greek Scepticism", in M. Burnyeat (éd.), *The Skeptical Tradition*, 7-29.
Philip R. Sloan, "Descartes, the Skeptics, and the Rejection of Vitalism in Seventeenth-Century Physiology", *Studies in the History and Philosophy of Science*, 8(1), 1977, 1-28.
Jacques Solé, "Religion et méthode critique dans le Dictionnaire de Bayle", in *Religion, érudition et critique à la fin du XVII*^e^ *siècle et au début du XVIII*^e^ *siècle*, Paris, Presses Universitaires de France (coll. "Bibliothèque des Centres d'études supérieures spécialisées", 11), 1968, 71-117.
J.S. Spink, French Free-Thought from Gassendi to Voltaire, Londres, The Athlone Press/University of London, 1960.
Christophe Strosetzki, "De la polémique contre le point d'honneur à l'art de la conversation", in Roger Duchêne et Pierre Ronzeaud (éds.), *Ordre et contestation au temps des Classiques*, Paris-Seattle-Tübingen (coll. "Biblio 17", 73), vol 2, 100-112.
D. Taranto, "Sullo scettismo politico di La Mothe La Vayer", *Il Pensiero Politico*, XX, 1987, 179-199, repris dans *Pirronismo ed assolutismo nell Francia del 600. Studi sul pensiero politico delle scetttismo da Montaigne a Bayle (1580-1697)*, Milan, Franco Angeli, 1994.
–, "La métamorphose du privé. Réflexions sur l'histoire de la catégorie et sur son usage par Le Vayer", *Libertinage et Philosophie au XVIIe siècle*, 3, 1998.
Linda Timmermans *L'accès des femmes à la culture (1598-1715)*, Paris/ Genève, Champion/Slatkine (coll. "Bibliothèque littéraire de la Renaissance", 3/26), 1993.
Louis Van Delft, *Littérature et anthropologie. Nature humaine et caractère à l'âge classique*, Paris, Presses Universitaires de France (coll. "Perspectives littéraires"), 1993.
–, *La Bruyère moraliste. Quatre études sur les* **Caractères**, Genève, Droz (coll. "Histoire des idées et critique littéraire", 117), 1971.

–, *Le moraliste classique. Essai de définition et de typologie*, Genève, Droz (coll. "Histoire des idées et critique littéraire", 202), 1982.

Alain Viala, *Naissance de l'écrivain*, Paris, Minuit, 1985.

Françoise Waquet, "*Res et verba*: Les érudits et le style dans l'historiographie de la fin du XVIIe siècle", *Storia della storiografia*, 8, 1985, 98-109.

David Wetsel, "La Mothe Le Vayer and the Subversion of Christian Belief", *Seventeenth-Century French Studies,* 21, 1999, 183-193.

Florence L. Wickelgren, *La Mothe Le Vayer. Sa vie et son œuvre*, Paris, P. André, 1934.

Margaret Wiley, *The Subtle Knot. Creative Scepticism in Seventeenth-Century England*, Londres, George Allen & Unwin, 1952.

Pierre Zoberman, *Les panégyriques du roi*, Paris, Presses de l'Université de Paris-Sorbonne, 1991.

Du même auteur

Idéologies de l'opéra. Paris, Presses Universitaires de France, 1980.
L'intrigue raciale. Essai de critique anthropologique. Paris, Méridiens-Klincksieck, 1989.
Le culte de la voix au XVIIe siècle. Formes esthétiques de la parole à l'âge de l'imprimé. Paris, H. Champion, 1995.
Afrique du Sud. La révolution fraternelle. Paris, Hermann, Editeurs des Sciences et des Arts, 1998.
An African Athens. Rhetoric and the Shaping of Democracy in South Africa. NJ/London, Lawrence Erlbaum Associates, 2000 (sous presse).

Ouvrages sous sa direction

(En collaboration avec Anny Wynchank) *Afriques imaginaires. Regards et discours littéraires. 17e-20e siècles*. Paris, L'Harmattan, 1995.
(En collaboration avec Marc Fumaroli et Emmanuel Bury) *Le loisir lettré à l'Age classique*. Genève, Droz, 1996.
Institution de la parole en Afrique du Sud. Rue Descartes-Collège international de philosophie, Paris, Presses Universitaires de France, vol 17, 1997.
Truth in Politics. Rhetorical Approaches. Johannesbourg, Protea/IFAS, 2000 (sous presse).

Editions

Projet d'éloquence royale de Jacques Amyot, Paris, Les Belles Lettres, 1992.
Mémoires de Pierre-Daniel Huet, Paris/Toulouse, Klincksieck/SCL, 1993.